science·i

マンガでわかる 色のおもしろ心理学

青い車は事故が多い?
子供に見せるとよい色とは?

ポーポー・ポロダクション

SB Creative

著者プロフィール

ポーポー・ポロダクション

「人と違ったおもしろいものをつくりたい」をポリシーに、2003年に企画制作事務所「ポーポー・ポロダクション」を設立。Webサイトのコンテンツ企画・編集・各種デザインなどを手がける。なかでも、色彩心理を活用した企業のカラーコーディネイトやデザイン制作、色彩心理セミナーには定評がある。著書に本書の続編『マンガでわかる色のおもしろ心理学2』や『マンガでわかる心理学』『マンガでわかる人間関係の心理学』『マンガでわかる恋愛心理学』『デザインを科学する』『マンガでわかるゲーム理論』『マンガでわかる行動経済学』がある。

本文デザイン：クニメディア株式会社
カバー・本文イラスト：ポーポー・ポロダクション

はじめに

もっとおもしろくて、わかりやすい「色彩心理」の本があってもよいだろう。

本書はそんな観点から生まれた「色彩心理」の本である。理論をベースにしてはいるが、複雑なものはできるだけ排除し、わかりやすく、具体的な実例を数多く出して解説している。イラストやマンガも気軽に読んでもらえるように、おもしろいネタを集めてみた。本文を補完するものや、まったく別の効果の話、時として色彩にまったく関係のない終わり方をしている。

私たちの世界では、色の使い方を否定するのには、勇気が必要だった。特に洋服のコーディネイトなどを否定することは、なかなか難しい。それは相手の「センス」を否定することであり、へたをすると相手そのものを否定することになりかねない。でも、その考えは間違っている。色の組み合せは理論であり、人が心地よいと思う調和がある。それは言葉の使い方や音の組み合せと、なんら変わりない。色彩は、この理論の理解が複雑だったり、不思議な複合効果を生んだりするので、少々扱いにくく、感覚として処理をされてしまう。だが、人によって受け取り方は異なるものの、多くの場合は理屈で解決できる。色の組み合せだけではない。色の持つ性質や効果を知れば、論理的に、最適な色の使い方がわかるようになる。そう、色彩の理論を学べば、「センス」というあいまいな言葉から解放されることにつながるのだ。もっと自由に、もっと自信をもって色が使えるようになるかもしれない。もう、「センス」という言葉に怯える生活はやめにしよう。

それでは、本書の使い方を簡単に説明させていただきたい。基本的にどこから読んでいただいてもかまわないが、最初に色の基本的な用語と仕組みを解説している「序章」だけは目を通してほしい。色彩の基本がすでにわかっている方には必要ないところなので、マンガだけを読んで先に進んでいただきたい。

第1章は、具体的に色彩の効果、色の持つ恐るべき力を解説している。寒色や暖色、膨張色など、くわしく知らなくても、なんとなく感じている部分も多いと思う。

第2章では、色彩心理が使われている実践現場を紹介している。読者の方も知らず知らずのうちに色彩の魔の手、いや、すばらしい効果を体感していることに気がつくだろう。

第3章では、色の好みと性格について解説している。どこまで当たっているか、自分や周りにいる人と話をしてみるのもおもしろいだろう。色彩心理のメインコンテンツともいえる。

第4章では、知っていると便利な色彩の効果を紹介している。複雑なものもあるので、「へぇ～」と思っていただけたらそれで十分である。

第5章では、簡単ではあるがファッションの部分において、自分にはどんな服が似合うか、色を着るとどんな影響があるかを解説してある。概論だけになるので、興味を持った方はほかのすぐれた専門書をすすめたい。

第6章は余ったページを埋める、いや違う。大事な効果を省いてまでも、紹介したかった色の小ネタを集めてみた。ほんの少ししか説明できなかったのが、心残りで仕方がない。

ここまで読んでいただければ完璧。色彩心理の概論はおわかりいただけると思う。同時に、色の難しさを感じてしまうかもしれない。色は複雑な効果を合わせ持ち、コントロールが大変難しいのも事実である。使う面積の比率や何色と重なるかなどで、実にさまざまな効果を生む。ある効果とそれを打ち消す効果を同時に持ち、どちらの効果がでるかも、特定の条件で変わることもある。色が心におよぼす心理効果も単純ではなく、複合要素が絡んでくる。色彩はとても複雑だ。「いや、だからこそおもしろい」といいたい。本書を通して、おもしろい色彩心理の世界が少しでもおわかりいただけたら幸いである。多くの人が色に興味を持ち、色を自由に使いこなしてもらうことを願ってやまない。

また、本書のマンガ、イラストには、頭に花をつけたサルたちが登場する。彼らは感情や表現したい色を頭の花の形や色で表現する「ミホンザル」と呼ばれる種類のサルである。ニホンザルの亜種だが、生態についてはまだくわしくわかっていない。稀少なサルだが、本書の解説のために協力いただいた。この場をかりてお礼を申し上げたい。

ポーポー・ポロダクション

マンガでわかる色のおもしろ心理学

青い車は事故が多い？　子供に見せるとよい色とは？

ポーポー・ポロダクション

CONTENTS

サイエンス・アイ新書

ぐきっ！

CONTENTS

序章

色彩の基本

色が人に与える影響を知るのにあたって、色彩の基本的な性質をまず紹介しよう。色彩が持つ「重さ」や「時間」といった不思議な効果や色彩の基本性質について解説。複雑でおもしろい色彩心理の世界は、ここから幕を開けたいと思う。

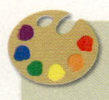

色によって流れる時間が違う①
色は時間の感覚を狂わしてしまう

色には不思議な力があり、人の感覚に大きな影響を与える。たとえば、色には人の時間感覚を狂わす力がある。人は赤い色を見ていると時間を実際の時間よりも長く感じ、青い色を見ていると短く感じるのだ。ある2人に協力してもらい、1人をピンクの壁紙と深紅の絨毯《じゅうたん》が敷かれた赤い部屋に入ってもらう。そしてもう1人にブルーの壁紙と水色の絨毯が貼られた青い部屋に入ってもらい、時計を持たずに1時間たったら出てきてほしいとお願いする。すると、赤い部屋に入った人は40〜50分ぐらいで出てくるが、青い部屋にいる人は70〜80分は出てこない。「それは赤い部屋が趣味の悪いセレブの部屋みたいで、居心地が悪かったからさ」。まあ、確かにそれもあるだろう。しかしそれだけではない。人の時間感覚は、部屋の色によって狂わされてしまうのだ。

たとえば、レジャーで人気のダイビング。ダイビングの酸素ボンベは1本約40〜50分持つが、水中では20分ぐらいの感覚しかない。魚やサンゴなど興味の対象があるため、短く感じるのは当然。しかも、水中はブルーで包まれた世界。人間の時間感覚を麻痺させ、短く感じさせてしまうのだ。これらの現象は、日常生活の照明にも当てはまる。青白い蛍光灯の下では時間を短く感じ、白熱灯などの温かみのある光の下では時間をゆっくりと感じる。このため単純な事務作業などは蛍光灯の下で行うのがよい。白熱灯の下でやると、なかなか時間が進まなくてイライラしてしまうからだ。逆にゆっくりと過ごしたい自分の部屋などは、白熱灯やぬくもり感がある電球タイプがよい。きっと優雅な自分の時間を満喫できるだろう。

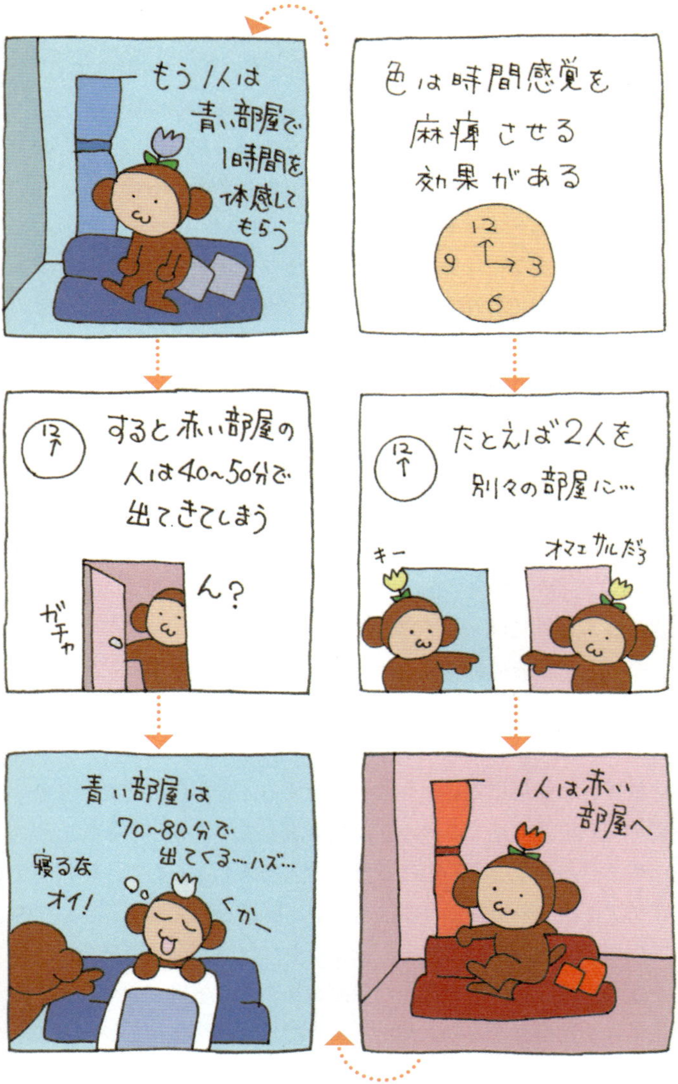
色は時間感覚を
麻痺させる
効果がある
12
9
3
6
12
たとえば2人を
別々の部屋に…
キー
オマエサルだろ
1人は赤い
部屋へ
もう1人は
青い部屋で
1時間を
体感して
もらう
12
すると赤い部屋の
人は40～50分で
出てきてしまう
ん?
ガチャ
青い部屋は
70～80分で
出てくる…ハズ…
寝るな
オイ!
ぐがー

色によって流れる時間が違う②

ファーストフード店で待ち合わせをしてはいけない

気軽に入れて席数も多く、ドリンクだけで長時間いることができるファーストフード店。友達との待ち合わせにも使いやすいので、ファーストフード店を使う人たちは多い。しかし、これはあまり好ましくない。多くのファーストフード店では、オレンジや赤などの色が使われている。これらの色は時間を長く感じさせる効果があるので、人を待つときにイライラしてしまうのだ。オレンジや赤は人の気持ちを明るくさせ、食欲を増進する効果はある。しかし、待ち合わせには向いていない。待ち合わせに使うなら、落ち着いたカラーリングのアメリカ・シアトル系のエスプレッソカフェのほうがよい。余談だがコーヒーの香りには、リラックス効果もある。だからゆっくりと人を待てる。

色彩心理がつくる理想的な社内会議

会社員の悩みの1つに、長い時間をかけた会議がある。2時間を超す会議は好ましくない。そんな長い会議が主流になっている会社の会議室は、青系の内装がオススメ。ブルー系のカーテンや青い椅子、会議用に青いノートを用意する。青い色を見ていると時間の流れを速く感じるので、速く会議を進めようとする強迫観念が生まれるのだ。青い色はリラックス効果もあるので、斬新なアイデアが生まれてくる可能性も高い。時間を短く感じ、さらに内容の濃い会議が期待できる。そんな中、会議で自分の発言に注目を集めたいなら、色を抑えた赤系のネクタイ着用がオススメ。赤には人を注目させる効果がある。ただしシャツなど面積が大きくなると、相手の意思決定を散漫にしてしまうので注意したい。

会議は部屋の色がとても重要
ジロ
おサルの会議室
ジロ
青い部屋では時間がたつのが早い
ヤバイ
なので会議室は青系の内装がオススメ
しかし夢中になると
あっという間に午前さま…
恐しい妻が家で待つ…
RAMBO
赤い色の部屋で会議をすると…
ウッキー
ドンドン
なかなか時間がすすまない
どよ〜ん

色には重さがある①
重く感じる色と軽く感じる色

色には重さがある。といっても、色自体に重さがあるわけではない。色には、重く感じさせる色と軽く感じさせる色が存在する。たとえば、同じ重さの箱でも白い箱と黄色い箱では、どちらを重く感じるだろうか？ 答えは、白い箱より黄色い箱のほうが重く感じる。そして黄色い箱と青い箱では青い箱のほうを重く感じ、青い箱と黒い箱では黒い箱のほうを重く感じるのだ。では、具体的な重さの違いはどれほどあるのだろう？ 色と重さの差を検証したある実験では、黒い箱は白い箱と比較して、なんと1.8倍も重く感じたという。さらに同じ色でも明度（色の明るさ）の低い色は、明度の高い色より重く感じる。つまり、ピンクより赤のほうを重く感じるのだ。また、彩度（色の鮮やかさ）の低い色は、彩度の高い色よりも重く感じる。同じ赤系でも赤よりマルーン（栗色）のほうを重く感じるというわけだ。

冬の洋服を重く感じるのは、服を重ね着しているからだけでなく、色からも重みを感じるからである。また、「重さ」は主観的な感覚なので、環境や体調によっても大きく変化する。朝と同じカバンを持っても、会社帰りのほうが重く感じるのは、疲れている証拠かもしれない。朝からカバンを重く感じる人は要注意。少しでも軽く感じられるように、明るい色や白い色のカバンを持つようにしたい。色と重さの関係は、インテリアコーディネイトにも応用できる。天井を明るい色で、壁から床にかけて次第に重く感じる色を配置すると、安定感が出て落ち着いた印象になる。

もし、ボウリングの玉が重くなればなるほど明るく鮮やかな色であってくれたら、もっと重たい玉も投げられたかも…。

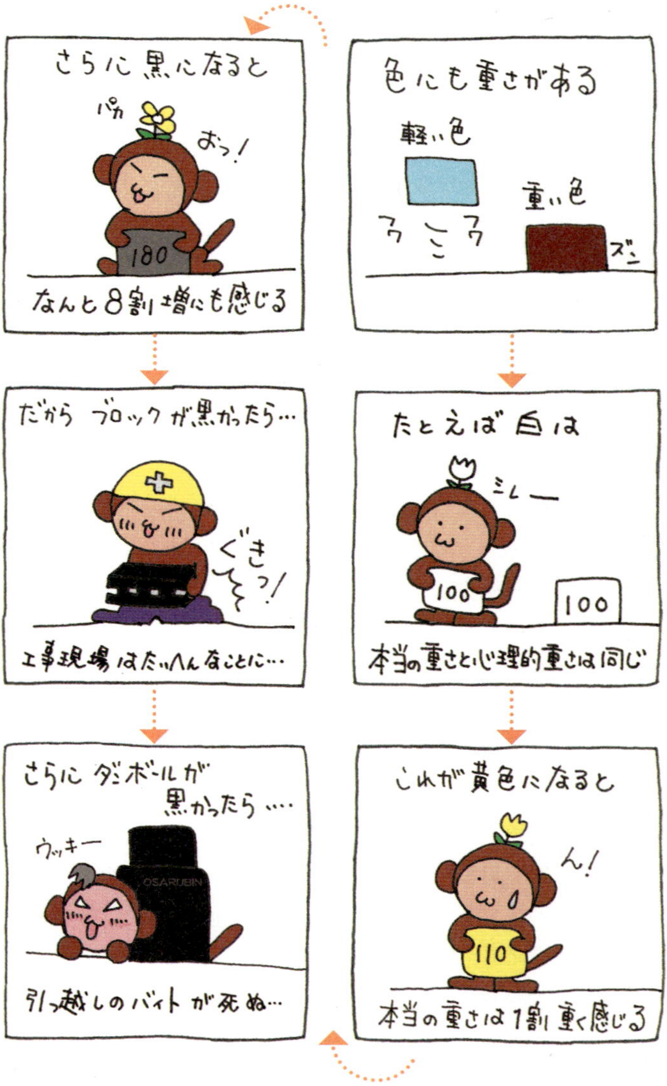
色にも重さがある
軽い色
フワ フワ
重い色
ズン
たとえば白は
100
100
本当の重さと心理的重さは同じ
これが黄色になると
ん!
110
本当の重さは1割重く感じる
さらに黒になると
パカ
おっ!
180
なんと8割増にも感じる
だからブロックが黒かったら…
ぐきっ!
工事現場はたいへんなことに…
さらにダンボールが黒かったら….
ウッキー
OSARUBIN
引っ越しのバイトが死ぬ…

色には重さがある②

金庫はなぜ黒い？

昔から金庫は黒いものが多い。会社に置いてある大きな金庫も、映画に出てくる巨大な金庫も黒いものが中心。総務に置いてある小さい金庫も深い緑色。これはどうしてだろうか？ 盗難防止用の金庫は、簡単に壊せない構造になっていて、簡単に持っていかれないように重くできている。しかし、物理的に重くするのには限界がある。そこで心理的に重く感じる色にしておき、簡単に持っていけなさそうな効果を狙っているのだ。白と黒では心理的に2倍近くの重さの差を感じる。色を黒くするだけで、金庫は盗難防止の効果が期待できるのだ。金庫が黒い理由は、そんな側面もある。

ダンボールはなぜ薄茶色？

ダンボールが薄茶色（クラフト色）なのは、再生紙を利用しているからである。ダンボールはリサイクル用品の優等生。8割以上がリサイクルされている。だから、そのままの色だと薄茶色になる。

しかし、ダンボールが薄茶色である理由はそれだけではない。これも心理的な重さと密接な関係がある。最近は薄茶色のダンボールに加え、白い色のダンボールが増えてきた。大手引っ越し業者のオリジナルダンボールの色も白で統一されている。薄茶色は重さを軽く感じる色だが、白はさらに軽く感じる色である。白いダンボールを使うほうが、運ぶ人の心理的負担が軽減されるのだ。さらに白いダンボールは清潔感があり、見た目もよい。

環境にやさしいダンボールは、実は人間にもやさしい機能を持っていたのだ。

白いダンボールは軽く
キラ
キラ
キラ
みばえもよい
ピコ
でも よごれやすい
そこで新発売
ピンクのダンボール
ん?
よごれも目立たず
しかも軽い!
さらに新色続々登場!
そしてシックな
大人のダンボール
黒
カジュアルな橙
目にやさしい緑
やっぱり
ウッキー
OSARUBIN
引っ越しのバイトが死ぬ…

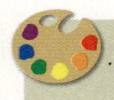

色の基本／色相、明度、彩度
色の基本構成要素

色のおもしろい力を簡単に紹介したが、ここでは色の基本を整理してみたい。たとえば「赤」という色。赤にはカーマインやマゼンタ、ピンク、マルーンなどいろいろな色がある。この色を使って3属性と呼ばれる色の基本構成要素を説明しよう。

色相

色相《しきそう》は、赤・青・黄・緑などと呼んでいる「色あい」そのものを指している。赤に黄を加えていくと、橙（黄赤）になり黄になる。黄に緑を加えると黄緑になり緑になってしまう。そして似た近い色を並べていくと、色は円形になる。カーマインは絵の具で使われている赤。これに青を少し加えてできるのが赤紫のマゼンタである。同じ赤でもカーマインとマゼンタは色相が違う。

明度

明度《めいど》は色の明るさ。明度の一番高い色が白で、低い色は黒である。明度を高くするとは、イメージで言うとその色に白を加えて明るくすること。カーマインに白を加えて明度を高くするとピンク（ベビーピンク）になる。カーマインとピンクは明度が違う。

彩度

彩度《さいど》は色の持つ鮮やかさや強さ。より純色に近いのか、灰色を入れたようにくすんで鈍く見えるのかを表している。カーマインに灰色を加えると栗の皮のような色、マルーンになる。カーマインとマルーンは彩度が違う。

色の基本構成要素

色相

赤・青・黄・緑など
と呼んでいる「色あい」
「色み」のこと

カーマイン　マゼンタ

明度

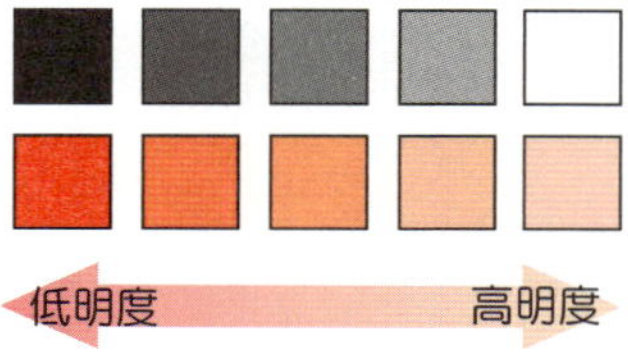

色の明るさ。白が最高。
黒が最低になる

カーマイン　ベビーピンク

彩度

色のあざやかさと強さ。
彩度のもっとも高い色
を純色と呼ぶ

カーマイン　マルーン

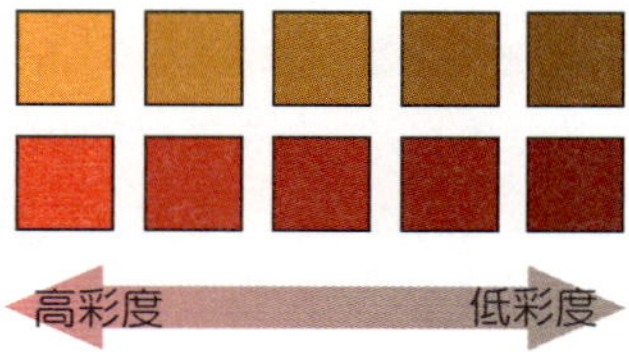

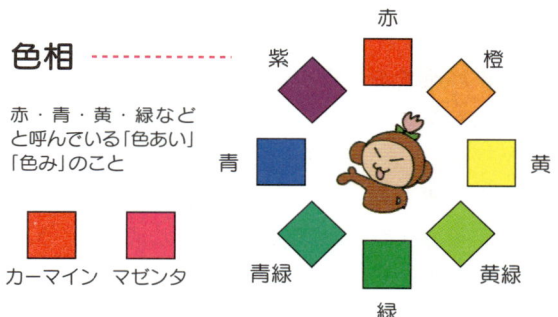

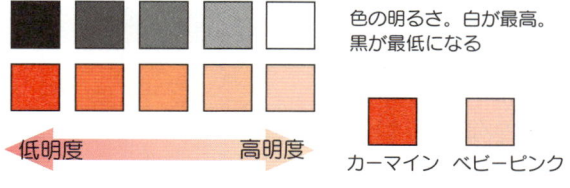

RGBとCMY
加法3原色と減法3原色

色は混ぜ合わせて別の色を作ることができる。これを混色《こんしょく》と呼び、基本の3つの色を混ぜて作る方法が一般的。色を混ぜると明るくなるか、暗くなるかで2種類の混色法がある。

加法混色

混ぜれば混ぜるほど明るくなる混色を加法混色《かほうこんしょく》という。原色は赤と緑と青紫。レッド（Red）、グリーン（Green）、ブルー（Blue）の頭文字をとってRGBで表される。これらの色は「光の3原色」とも呼ばれていて、この原理を使ったものがテレビ画面やパソコン画面。画面の中で3色の発光体が発色して、混色された色を作り出している。

減法混色

混ぜれば混ぜるほど暗くなる混色を減法混色《げんぽうこんしょく》という。原色は緑みの青と赤紫と黄。シアン（Cyan）、マゼンタ（Magenta）、イエロー（Yellow）の頭文字をとってCMYで表される。これらの色は「染料の3原色」とも呼ばれている。カラープリンタの原理であり、印刷の世界では黒（K）を加えてCMYKが一般的に使われる。CMYを混ぜると黒色になるが、インクや紙の問題でキレイな黒色を作るのは難しい。色を混ぜるのはコストもかかるので、黒を別途加えるようになった。ちなみに黒を「K」と呼ぶのは、「Black」の最後の「K」をとったのではない。まして、「Kuro」の頭文字なわけがない。正解は、黒インクだけが使われたキー・プレート（key plate）という印刷板に由来している。

RGBとCMY

RGB（加法混色）

混ぜれば混ぜるほど明るくなるので、3色を合成すると白になってしまう

CMY（減法混色）

混ぜれば混ぜるほど暗くなるので、3色を合成すると黒になってしまう。
印刷は黒（K）を加えたCMYKが一般的

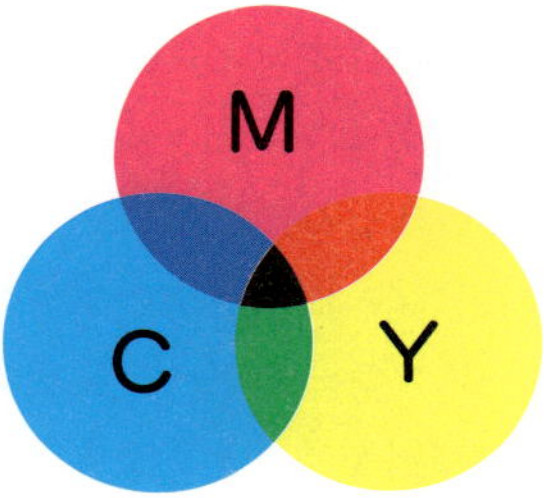

「トーン」ってなんだろう？
日ごろよく聞くトーンの正体とは？

色について話をすると、「トーンが明るい」「淡いトーンでまとめる」などという言葉をよく聞く。では、この「トーン」とはいったいなんのことをいうのだろうか？ トーンとは明るい・暗い・濃い・淡い・浅い・深いなどの色の調子を表す言葉で、明度と彩度をまとめて組み合わせたものである。たとえば「明るい緑」と表現すると、この中には「明度」の明るさと「彩度」の鮮やかさも含まれている。明度のイメージと彩度のイメージをまとめた存在がトーンであり、色相が変わっても同一のイメージが得られるのが特徴だ。たとえば「ブライトトーン」は明るく、陽気なイメージを出す。「ダークトーン」は大人っぽい、円熟したイメージがある。

ファッションの世界でも、トーンの概念は活用されている。スプリングコートなどの色彩は、「ペールトーン」と呼ばれる薄い調子で淡い色調の色。春の軽やかなイメージを出すために、淡いピンクやグリーン、オレンジ、イエローなどを用いている。色相が変わっても、「かわいらしい」「さわやか」「軽やか」などの同一のイメージが得られるのだ。

また最近では、都市計画の世界でもトーンは使われるようになった。ベースカラーのトーン設定することにより、同一のトーン展開で街の調和やイメージをまとめることができる。多彩なカラーを使えるので、イメージカラーを保ったままで企業も参加しやすく、都市としてのバランスをまとめることができるのだ。このため最近では、多くの地方自治体がこのトーンを活用した都市計画を行っている。この「トーン」の正体をさらりと話せるぐらいがかっこいい。

代表的なトーン

ビビッドトーン(V)／派手なイメージ

彩度が一番高く鮮やかに見えるトーン。
派手なイメージがある。看板などに使われる

ブライトトーン(B)

明るく陽気なイメージのトーン。
嗜好品、子供用品などに使われる

ストロングトーン(S)

強くて深みがあり情熱的に見えるトーン。
ファッションや嗜好品に使われる

ライトトーン(L)

さわやかで、軽く明るく見えるトーン。
子供用品、化粧品などに使われる

ダルトーン(Dl)

鈍くて深い味わいがあるトーン。
高級品やインテリアなどに使われる

ペールトーン(P)

軽く、浅く、淡くやさしい色のトーン。
化粧品、ベビー用品などに使われる

ダークトーン(Dk)

大人っぽい円熟した重みのあるトーン。
ファッションなどに使われる

グレイシュトーン(Gr)

シックで渋く枯れた味のあるトーン。
ファッションなどに使われる

※トーン名、種類は各種団体や色彩研究
機関で異なるので、注意が必要

便利な色彩体系／マンセル色彩体系

知っていると便利な色彩体系から

緑色を想像してみてほしい。山の緑、草原の緑、深い緑、明るい緑、それとも宝石の緑。あなたはいったいどんな「緑」を想像するだろうか？ 「緑」といっても実にさまざまな色があり、あなたが想像した「緑」とあなたの友達が想像した「緑」はたぶん微妙に違うはずである。しかし印刷物などを作る場合、このようなあいまいな形では困る。そこで、色を体系的に表す色彩体系が必要になった。それが色彩学の分野で一般的な色彩体系として使われている「マンセル色彩体系」だ。これは、アメリカの画家で美術講師でもあったアルバート・H・マンセルが創案し、1900年代初めに発表した色彩体系である。マンセル色彩体系では、色を表すのにマンセル値という数値を使って色を表現する。これを使えば「色相」「明度」「彩度」を数値化することができるのだ。たとえばコバルトグリーンをマンセル値で表すと、次のようになる。

5G6／8

コバルトグリーンは明るくさえた緑色。色相は、最初の数字とアルファベットで表す。「5G」の「G」は、緑色を表している。緑色の中心色は5Gなので、中心の緑を表している。その次の数字「6」が明度を表す。明度は0から10まであり、6は真ん中やや明るめのイメージ。そしてその次にある「8」は、彩度を表す数字。この数字が大きいほど彩度が高い。8は、彩度が高いグループを表している。この数字を伝えれば、同じ色を再現できる便利な色彩体系なのだ。

マンセル色彩体系

色相

マンセルの色相環では
R（赤）・G（緑）・Y（黄）・
B（青）・P（紫）にその
中間色を組み合わせた
10 色相からなりたって
いる。各色相は 10 分割
されており、記号の前
に数字がつく

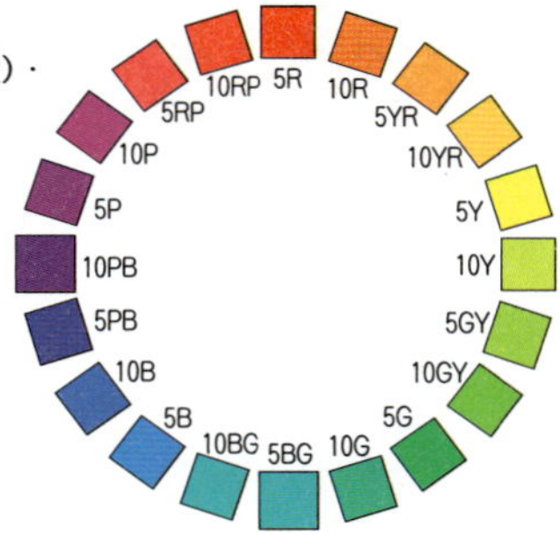

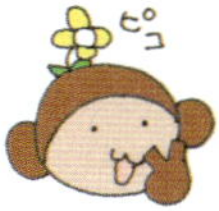

明度・彩度

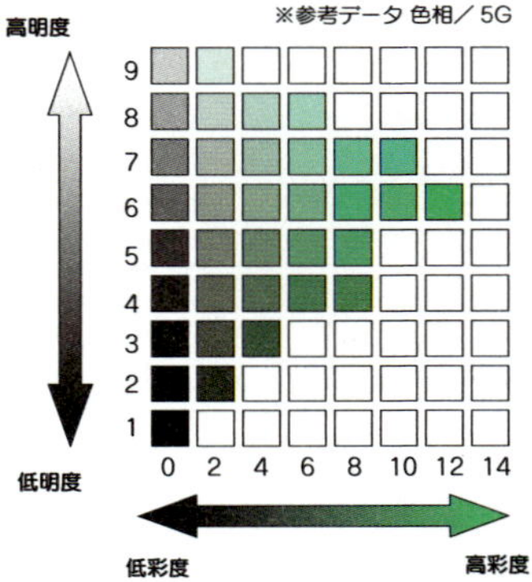

横軸は彩度を表し、縦軸は明度を表している。彩度が0に近づけば、彩度が低くなり、明度が0に近づけば明度が低くなる

知っていると便利な色見本
DICカラーガイド、パントーン

色を再現したり伝えたりするのにマンセル値はとても便利だが、実はもっと便利なものがある。それが色見本だ。色見本はマンセル値ほど細かく再現できないが、もっとも近い色のカラーチップを用いることで、色を再現することができる。色見本はカラーチップを使用するので、色のイメージがわきやすく、視覚的に確認しながら再現することが可能なのだ。ここでは代表的な2種類の色見本を紹介しよう。

DICカラーガイド

グラフィックデザインや印刷、インテリア、ファッションなどのさまざまな分野で使われる色見本帳。大日本インキ化学工業が出しているカラーガイドはインクと連動しているので、再現力が高いのも魅力。日本ではカラーをDIC《ディック》の番号（加えて版数）で指示するのが一般的で、ほとんどの業界で色の指示が通用する。スタンダードタイプのものから日本の伝統色や中国の伝統色など種類も豊富。なお、スタンダード版は654色収録されている。

パントーン（PANTONE）

世界標準のカラー見本。グラフィック系のチップはもちろん、テキスタイル用やプラスチックのカラーガイドなどもある。パントーングラフィック商品は、2005年度に大半の色見本帳が改訂され新版になっている。DICよりも色数が多く、細かい色の指定が可能である。日本だけでなく世界で使用することを考えた場合、パントーンの色指定が好ましい。

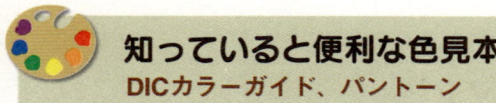

色見本は便利である
ハンカチの色は
DICの
No4で
番号の指示で
キー
同じ色の製品ができあがる
ところが色見本がないと…
キー
ホッペのピンクで
トラブルが絶えない….
ウッキー
この田舎もの
ビリ
ビリ

第1章

不思議な色彩のチカラ

実際のものよりも大きく見える色や小さく見える色、飛び出して見える色、食欲を喚起する色。色は人間の感覚に働きかけ、実に不思議な効果を生む。ここではそんな不思議な効果を生む色のパワーを紹介する。

暖色と寒色①
心理的に暖かく感じる色と寒く感じる色

色には、暖かく感じる色と寒く感じる色がある。これは色彩が持つ心理効果の中で、もっとも一般的なものだ。赤やオレンジ、ピンクといった色は「暖色《だんしょく》」と呼ばれる色のグループ。火や太陽をイメージし、暖かさを感じる色である。これに対し青や緑、青緑などは「寒色《かんしょく》」と呼ばれ、氷や水をイメージして寒さを感じる色である。ちなみに四季のある日本で暮らす日本人は、この暖色と寒色の使い方がうまい。季節によってインテリアやファッションをうまく調整する。暖色や寒色という言葉を知らなくても、多くの人は、色による温度差の感覚を持っており、体感温度をコントロールしているのだ。

そして暖色と寒色の体感温度は、明度が大きく影響をおよぼす。明度の高い色は全体的に涼しく感じ、明度の低い色は全体的に暖かく感じる。青より水色のほうが涼しそうに思えるし、ピンクよりも赤のほうが暖かく思えるのだ。

この暖色と寒色における暖かさと寒さは個人差が大きい。この個人差は好き嫌いではなく、経験によってつちかわれた感覚が大きく影響をおよぼす。つまり育ってきた環境次第で、その感覚が大きく変わると推測されているのだ。雪国で暮らしている人は、寒色に冷たい水や氷を連想し、温度の低いものだとイメージする。寒色をより冷たく感じる傾向があるのだ。しかし、沖縄のような南国で育った人は、寒色を冷たいものだと認識しにくく、冷たいものとはあまり認識しない。沖縄の水や海水は温度が高いからだ。寒色の体感温度を調べると、その人の出身地を知るヒントになる。

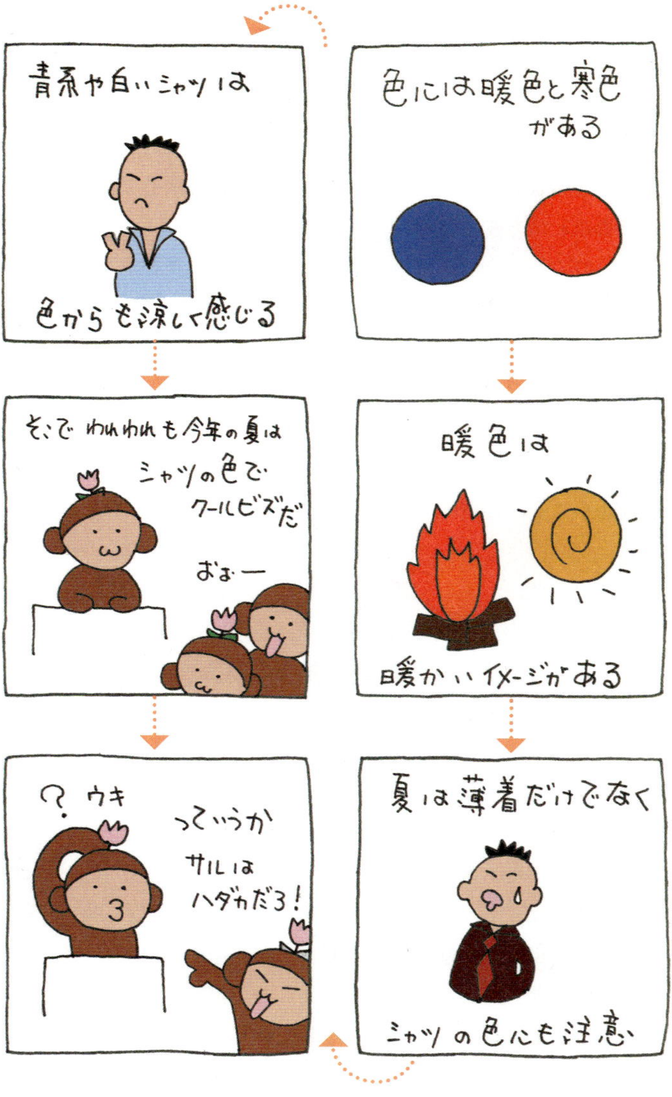
色には暖色と寒色がある
暖色は
暖かいイメージがある
夏は薄着だけでなく
シャツの色にも注意
青系や白いシャツは
色からも涼しく感じる
そこでわれわれも今年の夏は
シャツの色で
クールビズだ
おぉー
? ウキ
っていうか
サルは
ハダカだろ!

暖色と寒色②

怪異！ 赤い扇風機

夏になると登場する扇風機。この扇風機の色に注目してみると寒色系を中心に、白や黒、グレイなどの商品が中心である。赤い扇風機は、ほとんど見かけたことがない。ごくわずか市場に流通しているのみで一般的ではないのだ。これだけ多様なニーズがあるなかで、明らかに不思議である。しかし、これにはしかるべき理由がある。涼を求めて使う扇風機が暖色だと、暖かさを感じ、涼しさを感じなくなってしまうからだ。イメージ的に暖かい風を送る赤い扇風機は、実際問題として機能的ではない。正直いって不気味な存在だ。寒色系や白、グレイといった色の扇風機が送る風だからこそ、心理的に涼しく感じるのである。

もっともエコロジーな冷暖房

暖色と寒色の温度差を活用すれば、心理的な温度コントロールが可能となり、冷暖房機の使用を控えることができる。夏場は白いレースのカーテンに寒色系のカーテンを重ねて、部屋のインテリアを寒色系にする。そして冬場はカーテンを暖色系に替え、暖色のカーペットやソファーに暖色のカバーをかけるなどで体感温度を上げればよいのだ。暖色のほうが寒色よりも効果が出やすい傾向があるので、寒がりの人は暖色のインテリアをオススメしたい。ある実験では、寒色と暖色の部屋で体感温度が2〜3度違うという結果が出た。食堂や工場が寒いと顧客や従業員から苦情を受け、内装の壁色を暖かい色にしたところ苦情がなくなったという例もある。色でコントロールする温度調整は、地球にやさしいエコロジーな冷暖房なのだ。

もし扇風機が
赤い色だと
ぬるい風の
イメージがある
ぶ〜ん
やっぱり扇風機は
黒やグレー
涼しい風の
イメージがある
もっと
寒色系ならもっと
涼しい
もっと
もっと
エアコンと併用しても効果的
でも、本当の涼しさは
さ、寒い
ブル
ブル
で、電気代…
あとでやってくる…

反射する色と吸収する色①
物理的に光を反射して熱を持たない色、吸収して熱を持つ色

暖色と寒色は心理的に暖かみや寒さを感じる色だが、実際にも光を反射して熱を持たない色と吸収して熱を持つ色がある。白や黄色、水色などの明るい色は、光を反射して熱を持たない色なのだ。そして黒や濃紺などは、光を吸収して熱を持つ色。子供のころに虫眼鏡で黒い紙に太陽の光を集めて火をつけたことを思い出してほしい。白い紙ではなかなか火がつかないが、黒では簡単に火がつくのはこんな理由があるからだ。

実際に一番熱を持つ色は黒で、続いて茶色などの濃い色。赤、黄色、白へと続く。赤や青、緑などは材質や明度差によっても変化し、さほど大きな差はない。そんな中で注目したいのは、浴衣や作務衣の紺色。紺色は明度も低く、濃い色ではあるが、熱吸収率が低い。さらに白は一番熱吸収率が低いので、白系の浴衣はイメージだけでなく、物理的にも涼しいすぐれた機能を持つのだ。

また、女性の夏の必需品である日傘。白い日傘は太陽光を反射して、熱を持たない。しばらく前にテレビで紹介されヒット商品となった黒い日傘。黒い日傘は紫外線を吸収して遮断するが、薄い生地だと逆効果のこともある。黒は赤外線を吸収し、同時に熱も持つというデメリットもあるので注意が必要だ。いちがいに黒い日傘がよいとはいえない。

また、日本人の髪の毛は黒色である。夏場、外に出ると紫外線、赤外線を吸収してしまう。このため、帽子などをかぶるなどのケアが必要。特に男性は気にしないでほうっておくと、吸収どころか鏡のように反射する頭になるのでご注意を。

炎天下に車を
止めておくと
熱くなって大変である
車内は色に関係なく
50℃以上
もわもわ～
白い車の表面は
40～50℃
アチ
黒い車では70℃以上
になることも…
ウキ
玉子は70℃ぐらいで
固まるので
目玉焼きができる
くかー

反射する色と吸収する色②

冷蔵庫はなぜ白い？

冷蔵庫は白やパステルカラーが中心である。これはどうしてだろうか？ 白やパステルカラーは光の反射率が高い色。光を反射するので表面に熱を持たなくなる。冷蔵庫の表面が熱を持たないということは、それだけ余計に冷やす必要がなくなり、結果的に省エネになるということ。白やパステルカラーは涼しげなイメージもあり、物理的にも心理的にも、冷蔵庫には白やパステルカラーが向いているのだ。

ヘルメットが黄色の理由

工事現場で使うヘルメットは、黄色のデザインである。黄色は危険を喚起する色であり、視認性も高いので、工事現場に向いている色彩といえる。しかし、それだけではない。炎天下で仕事をすることもある工事現場では、光を反射する色である黄色で頭を覆うことで、熱から頭を守るという大事な機能を果たしているのだ。

黒い服は「しわ」が増える？

黒い服は体を細く見せることができるし、どんな人にも似合うので、多くの女性に人気が高い。しかし、黒ばかり着ているのは肌によくない。黒は日光を吸収する色なので、夏場は暑苦しいし、服の中は蒸してしまう。そして紫外線を含むすべての光を遮断するので、まったく肌に光が到達しない。これを長く続けていると、しわが増え、肌の老化が促進されるのだ。一部の熱狂的なファンに支持されている「ゴスロリ」のファッション。続けているとすぐに肌はロリータではなくなるので注意してほしい。

黄色や白は
熱反射率が高い
なので黄色や白は
ヘルメットによい
日光から頭を
守ってくれる
黄色は
子供の帽子にもなっている
遠くからも
見えるので
ウキ！
危険も回避して
くれる
ガン
あぶない！
きっと……

膨らむ色と縮む色①
大きく見える色、小さく見える色

　膨張色《ぼうちょうしょく》と収縮色《しゅうしゅくしょく》という言葉を聞いたことがあるだろう。赤や橙、黄色のような暖色系の色は、実際のものよりも大きく見える色。青や青緑のような寒色系の色は、小さく見える色である。この大きさは色相だけでなく、明度が鍵を握っており、赤でもピンクのような明度の高い色は、膨張色としてより大きく見える。逆に収縮色は、寒色の中でも明度の低い色。紺のように明度の低い色が小さく見える収縮色である。明度のない黒も収縮色の代表格。冬場になると黒いストッキングを履いている女性を見て、「あの人は意外と足が細かったのね」と思ったら、それは色彩のマジックに魅せられた証拠である。色彩心理をみごとに活用した例といえよう。

　さらに、収縮色をうまく使うと、痩せて見えることがある。寒色系の低明度、低彩度の服をコーディネイトするのがオススメ。特に下半身に使うとすっきりと引き締まって見える。ジャケットの前を開け、黒いボトムと黒いインナーの組み合わせも効果的。上半身と下半身にまたがった縦の黒いラインがスラリと痩せて見える。ただし、黒＝痩せて見える色と思って、トップスからボトムまで黒ずくめでまとめてしまうのはあまりよくない。重々しい服装になってしまうのだ。黒いパンツに白いシャツという定番を白いパンツに黒いシャツとするだけで、スラリとモダンに見える。白いパンツに白いTシャツを着て、黒いシャツを羽織るのも効果的だ。

　インテリアでも、膨張色と収縮色をうまくコントロールしたい。ピンクなどの暖色のソファーは、部屋に置くと場所をとっているような圧迫感を感じる。黒系のソファーは小さく見える特徴がある。

収縮色をうまく
使うモデル
とっても細くみえるが
実は色の効果
バイ
バイ
おつかれ
さまー
服を脱いだら....
スゴイことに
フー
ボン
ボン
バサッ
そんなモデルは実在する
色には膨張色と
収縮色がある
寒色系は小さく
明度が低いと
さらに小さく見える
これを応用すると
ウキ
!
細く痩せて見える

膨らむ色と縮む色②

武田軍団の色彩戦略

いまからはるか昔の戦後時代にも色彩心理を活用して、戦いを有利に進めた武将がいた。この武将とは、知将として名高い武田信玄であり、鎧や馬具、あらゆる武具を朱塗りにした「赤備え（あかぞなえ）」軍団がそれだ。これは敵・味方の判別と、威嚇が目的といわれているが、膨張色の赤い軍団は大きく見え、敵に相当の威圧感があったと推測できる。ほかにも真田家の「真田の赤備え」や武田をまねた井伊直政の赤備えも有名である。諸説はあるが、戦国時代には赤備え以外にも白備えや黄備え、黒備え、紺備えなどの色彩戦略があったようだ。白や黄色は赤と同じように、視認性に長けた膨張色。逆に黒、紺は収縮色の代表。夜に目立たず、敵に気づかれずに近づくという戦略があったのかもしれない。

フランス国旗に隠された秘密

フランス国旗は青、白、赤のトリコロールカラー。青は「自由」、白は「平等」、赤は「博愛」を表しているとされる。この3色は以前、37：30：33という比率で構成されていた。膨張色の白を抑えて、収縮色（後退色）の青を大きくしてやらないと均等に見えないからだ。ところが、これではフランスは「自由」にかたよった国になってしまうと思ったのか、1946年の憲法で等分とすることが定められた。その後、1958年の改正により「均等」の文字はなくなったが、いまでも3等分の原則は守られている。色彩の効果が国の憲法も動かしたおもしろい例といえよう。ちなみにイタリア国旗の緑、白、赤。緑は膨張色でも収縮色でもない中立の色なので、フランス国旗のように比率を変えなくても、わりと均等に見える。

ん？
殿！
黄色には
どんな効果が？
バナナのことを
思い出して
みなハッピー
じゃ
ウキ？
ボーチョウ色で
相手を
威圧するんじゃ
このサル！
ひでよし
戦国時代
ブオォォ....
色彩に長けた武将がいた
赤い軍勢を率いた
ピース
武田信玄である
そこでわが
軍勢は
黄色で統一
じゃ

進出色と後退色①
飛び出して見える色、うしろに下がって見える色

膨張色と収縮色が大きく見えたり、小さく見えたりする色ならば、色には同様に飛び出して見える進出色《しんしゅつしょく》と、うしろに下がって見える後退色《こうたいしょく》と呼ばれる色のグループがある。進出色は赤や橙、黄などの暖色で、高彩度の色。後退色は青や青紫などの寒色系で、低彩度の色である。

この進出色と後退色は、さまざまな分野で活用されている。看板に赤や橙、黄などの色が好んで使われるのは、目立つ色であるということと同時に、進出色を使うことで遠くからも飛び出して見せる狙いがあるからだ。同じ場所にある赤い看板と青い看板では、赤い看板が近くにあるように見える。商品の紹介をするチラシなどもこの進出色をうまく使って、商品をアピールしているのだ。チラシ掲載期間や価格は黄色か赤を使って、大きくそして飛び出して見せる工夫をする。安い金額が目に飛び込んでくるので、いつまでも目に残るインパクトがあるわけだ。また工場では、作業を効率化するためにさまざまな研究がされている。壁を暖色、寒色に塗り替えて温度調整を図り、進出色や後退色を使って作業者に圧迫感を与えないような配慮がされているのだ。これは明るい色調を使って広く見せ、混雑感を与えない作業場は作業効率が上がるといわれているためである。

メイクの世界でも進出色と後退色を活用して、立体的な顔を作るのに役立っている。立体感や奥行きを出すシャドウカラーは後退色である。フラワーアレンジメントの世界では、手前に赤やオレンジの進出色の花を置き、奥に青系の花を置いて、奥行きを感じさせるアレンジメント作りなどに活用されている。

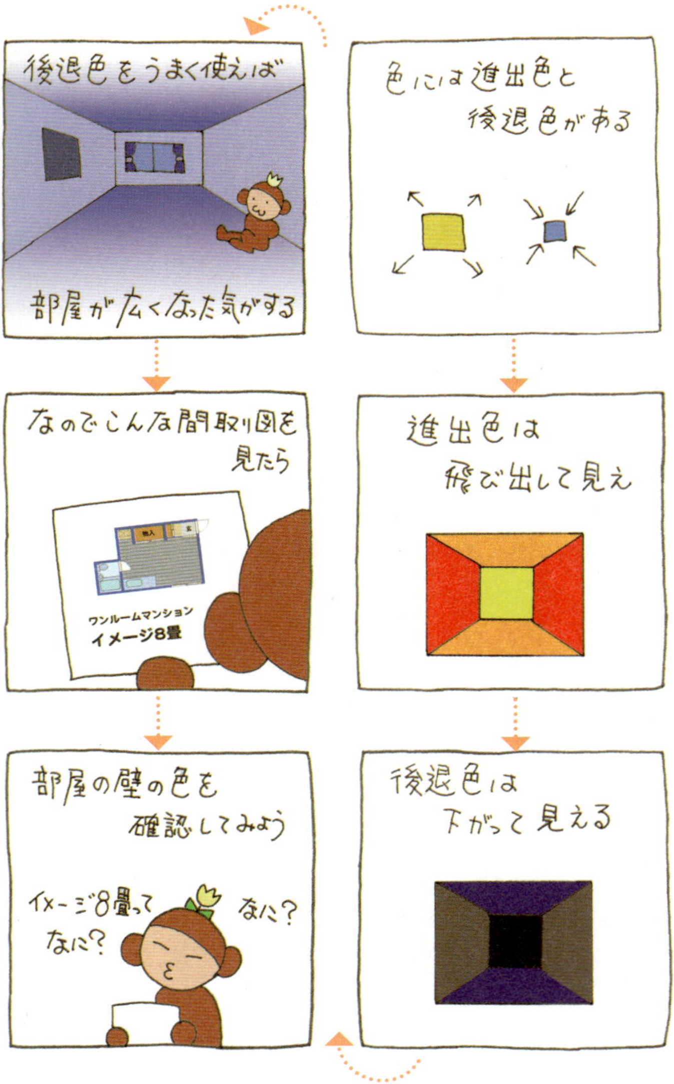
色には進出色と
後退色がある
進出色は
飛び出して見え
後退色は
下がって見える
後退色をうまく使えば
部屋が広くなった気がする
なのでこんな間取り図を
見たら
物入
玄
ワンルームマンション
イメージ8畳
部屋の壁の色を
確認してみよう
イメージ8畳って
なに?
なに?

進出色と後退色②

青い車は事故率が高い

海外のデータではあるが、事故率の高い車の色は、青がトップ。続いて緑、グレイ、白、赤、黒などと続く。後退色の青は、実際位置よりもうしろに見えるので、他車からぶつけられやすいという特徴があるからだ。また、事故に巻き込まれるという観点だけでなく、事故を起こした車全体を調べた別の統計結果では、黒の車の事故率も高いと記されている。車の事故はさまざまな要因が重なって起きるものなので、車の色と事故との因果関係ははっきりと説明できない。時間帯によっても車の色の見え方は異なる。しかし、色の視認性や進出色、後退色という性質による事故率の違いは確かにある。交差点で向かってくる青い車、高速道路で前方にいる青い車などは特に注意したい。

部屋を広く見せるコツ

進出色をうまく活用すれば、部屋に広がりを持たせることができて、広く感じることができる。特に重要なのは明度。明度の高い色は全体的に広く見える。圧迫感がある低い天井には、水色などの高明度の寒色を使えば、実際よりも高く感じることができるだろう。狭い壁には高明度の後退色を使うことで、実際の壁の位置よりうしろに下がって見える。逆に細長い作りの壁には、進出色を用いることで、壁をずっと手前に感じられるだろう。バスルームが白やオフホワイト系でまとまっているのは、清潔感や明るさを出しているだけでなく、部屋に広がりを持たせるカラーを使い圧迫感をなくしていることもあるのだ。

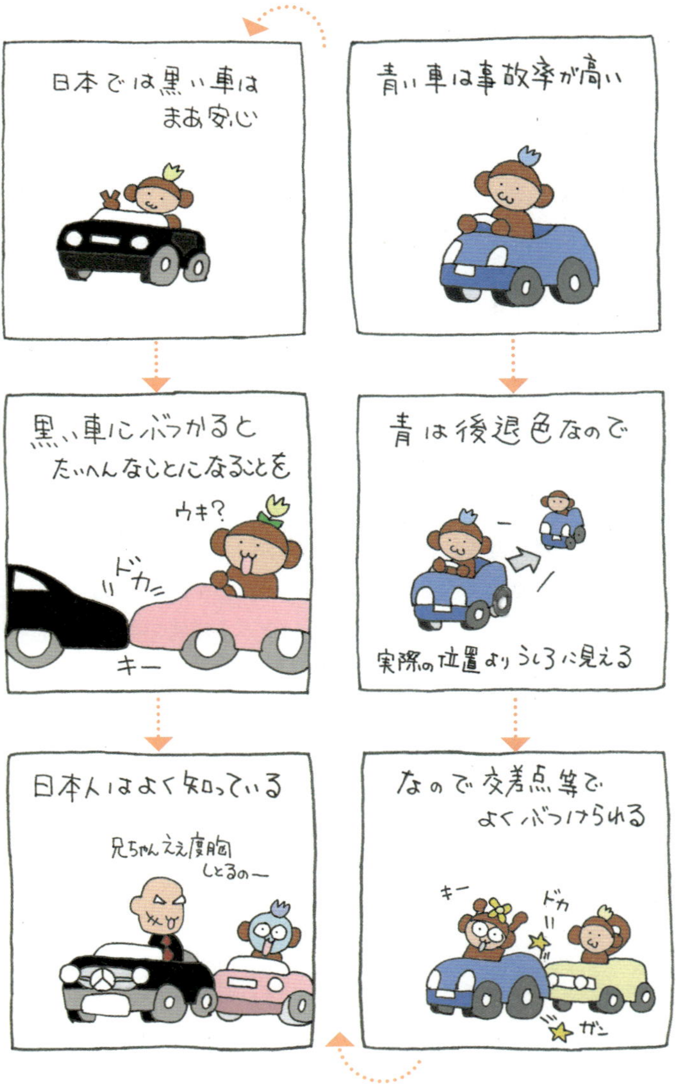
青い車は事故率が高い
青は後退色なので
実際の位置よりうしろに見える
なので交差点等でよくぶつけられる
キー
ドカ
ガン
日本では黒い車はまあ安心
黒い車にぶつかるとたいへんなことになることを
ウキ?
ドカ
キー
日本人はよく知っている
兄ちゃんええ度胸しとるの一

食欲がわく色①
食欲を喚起する色、減退させる色～

色には見ているだけで食欲がわく「食欲色」なるものがある。赤、オレンジ、黄色などは食欲を増進させる色。そして、色が鮮やかなもののほうが食欲を増進させる。果物の赤、オレンジや野菜類の緑、焼いた肉の中から見える赤、刺身の横に映える緑のシソの葉、牛丼の横でさりげなく主張する深紅の紅ショウガなど、人は鮮やかな色を見ると食欲を喚起されるのだ。なお食欲色と色彩の関係は、過去の経験で感じた食材の記憶からくるものが多い。特に日本人は、ほかの国の人よりも複雑な食欲色を持っている。ご飯やうどんの白、黒胡麻や海苔などの黒にいたるまで、さまざまな色の食材を食べるので、広範囲な食欲色を持っているのだ。食欲を誘う色は、基本的に食材を連想できる色。赤や橙がもっとも高く、紫や黄緑は食欲を抑制するカラーとして知られている。

この食欲色は食材の色だけでなく、食べる場所のカラーや照明も重要である。特に料理を盛りつける皿選びは大事。日本は特に皿などの器作りの技術、色彩感覚がすばらしく、芸術としても確立している。皿に白が多いのは、白が食材を引き立てるのにもっともすぐれたカラーであるからだ。また、食材にあまりない青も、食材を引き立てる色としてすぐれている。白のベースに青い柄の皿をよく見るのはこのためである。そして和食の世界では黒い器を活用する。これは料理のコントラストを際立たせ、料理がよりいっそう引き立つように工夫しているからだ。また黒には、微妙な和食の味わいを深める効果もある。懐石料理などは、器の形や色を楽しみながらいただくと余計においしく感じるものである。

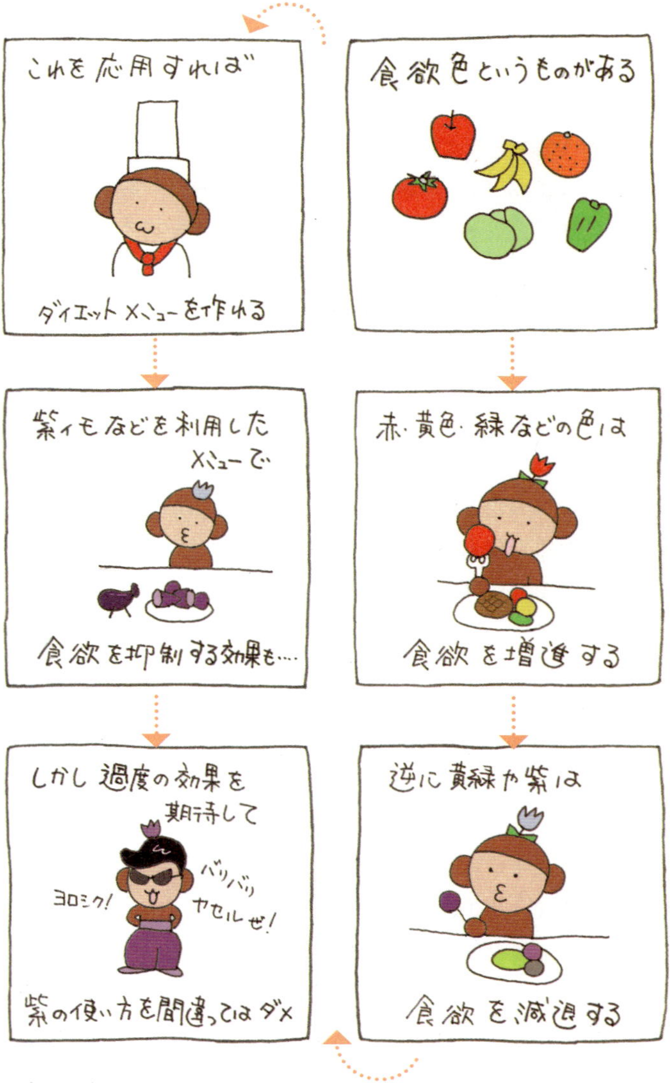
食欲色というものがある
赤・黄色・緑などの色は
食欲を増進する
逆に黄緑や紫は
食欲を減退する
これを応用すれば
ダイエットメニューを作れる
紫イモなどを利用したメニューで
食欲を抑制する効果も……
しかし過度の効果を期待して
ヨロシク!
バリバリヤセルぜ!
紫の使い方を間違ってはダメ

食欲がわく色②

赤ちょうちんはなぜ赤い？

居酒屋や飲み屋などの軒先にぶら下がっている「赤ちょうちん」。会社帰りのサラリーマンにとって、赤ちょうちんは素通りできない魅力があるようだ。これにはちょっとした理由がある。赤い色のちょうちんは、遠くからでも目立つ。そして赤は、人の行動を促進する色でもあるのだ。なんとなくもやもやした会社帰りに、赤い色が目に飛び込むと、なにか行動を起こしたくなる。このまま家に帰るのが急にもったいなくなるのだ。そして、赤は副交感神経を刺激する色。胃腸の働きを活発にしてくれ、自然と食欲がわいてくる。さらに、人は酔うと赤い色によく反応するともいわれている。酔った人は、また赤い色のちょうちんに吸い寄せられていく。酔う前の人も赤ちょうちんに魅せられ、酔うとさらに赤ちょうちんから抜け出せなくなる。「赤ちょうちん」からは、もう逃れられない！

飲食店に使ってはいけない色

最近、居酒屋やレストランのコンセプト系ダイニングが進む中で、黄色の照明をテーブルの下から照らすという店舗がある。室内は黄色が立ち込める不思議な非日常の空間になっており、肝心の料理演出がまったくダメ。黄色のバックライトのおかげで、刺身や肉類がすべて青紫色に見え、まったくおいしそうに思えない。黄色の照明や壁は暗い青や青紫などの補色を生む。これは、青紫の眼鏡をかけて食事をするようなものである。食欲色を理解しない、失敗した店舗づくりといえよう。

赤ちょうちんの赤
酒
赤は胃腸を刺激する
焼とり　サル吉
サル吉
猿酒
ぐぅ〜
行動も喚起する
焼とり　サル吉
サル吉
猿酒
たのもー
ガラガラ
いらっしゃい
酔うとさらに赤に吸い寄せられる
酒　サル蔵
ウキ!
酒
ウキ!
さらに酔って赤にまた、吸い寄せられる
もつ　サル夫
あんたもすきね
ウキ
酒
今日もまた
RAMBO2
赤ちょうちんの犠牲者が…

人を眠りに誘う色①
人を眠りに誘う色、目覚めさせる色

青い色は人を睡眠に誘う。青は人の血圧を下げ、緊張感を取り除く鎮静作用がある。なかなか寝つけない人、眠れない人は青を見るのがよい。部屋を青色でまとめれば、眠りやすくなるが、眠れないからといって、部屋を過度に青でまとめるのは好ましくない。夏場はよいが、冬は体が冷えてトイレが近くなるだろう。また、ある一定量青系の色が増えると、孤独を感じることがある。このため、部屋は淡い青のカラーを中心に、白やオフホワイトを組み合わせたものがオススメ。自然と体の緊張感を解き、眠りへと導いてくれる。青以外では、緑の中にも睡眠を助ける色がある。青が肉体的に体を休める効果があるのに対して、緑は心の中で癒しを感じ、リラックスして結果的に睡眠へと結びつく。また、暖色系は目を覚めさせる色だが、淡い暖色は青と同様に眠りに導く色である。白熱灯や間接照明の暖かいオフホワイト、安らぎを感じる淡い橙色の照明は、人を眠りに誘ってくれる。

逆に目が覚めない場合は、彩度の高い赤を見るのがよい。赤は人を目覚めさせる色彩。体に緊張感が増し、血圧が上昇する。目を覚ます商品の多くは、「ブラックコーヒー」などを連想して黒のカラーが主流。しかし目を覚まさせるなら、赤いパッケージのほうが効果的だ。「朝専用」とうたっている缶コーヒーは、赤系の色をしている。実はこの形が目覚め効果をもっとも期待できるのだ。コーヒーのカフェインが脳に刺激を与えて頭を活性化させ、高彩度の赤がさらに緊張感を増し、目覚めを促進してくれるすぐれたダブル構造になっているのである。

青には鎮静作用がある
そのため
青をみるとよく眠れる
くかー
そこでわれわれは朝専用のコーヒーに対抗し
ゆっくり眠れる青い「夜専用コーヒー」を開発した
オー
オー
ぐびぐび
えっ？夜とコーヒー？
あれ？
ピコ
パチ
ふつうそうだろ！

人を眠りに誘う色②

布団はなぜ白か青なのか？

布団というと白いカラーを思い出す。白い布団は清潔感もあり、気持ちよく眠りへと導いてくれる。色がついた布団もいくつかあるが、さわやかなブルーや淡いブルーが多く、アイボリーや淡いほかの色がある程度。これはどうしてなのだろうか？ もし、布団が深紅だったら、血圧が上昇し、テンションは上がり、とても睡眠どころではなくなってしまう。布団はゆっくりと眠れる効果が期待できないといけない。そのため、鎮静効果のある青を中心に、リラックス感を期待できる淡い色が中心となる。布団に複雑な柄が好まれないのもこのせいであり、落ち着いて眠れるように単色が多い。目をつぶるから色は関係ないと思っているかもしれないが、実は肌でも色を感じている。見ているときと同じ効果があるので、目をつぶってもダメなのだ。

眠りと照明の関係

照明の色と睡眠には深い関係がある。照明の色は「メラトニン」というホルモンの分泌に影響を与える。メラトニンは人を自然な眠りに導くホルモンで、睡眠だけでなく、生体リズムの改善、免疫力や抵抗力を高める効果もある。通常は夜に分泌されるが、青白い蛍光灯の光を浴びると分泌が抑制される。夜のリビングや寝室は、メラトニンが影響を受けにくいとされる白熱灯や、やさしい黄色、オフホワイトの照明がよい。逆にいえば、試験勉強の一夜づけや朝までの仕事がたまっていて絶対に眠れない夜などは、蛍光灯の部屋で勉強や仕事をするのがよいのだ。

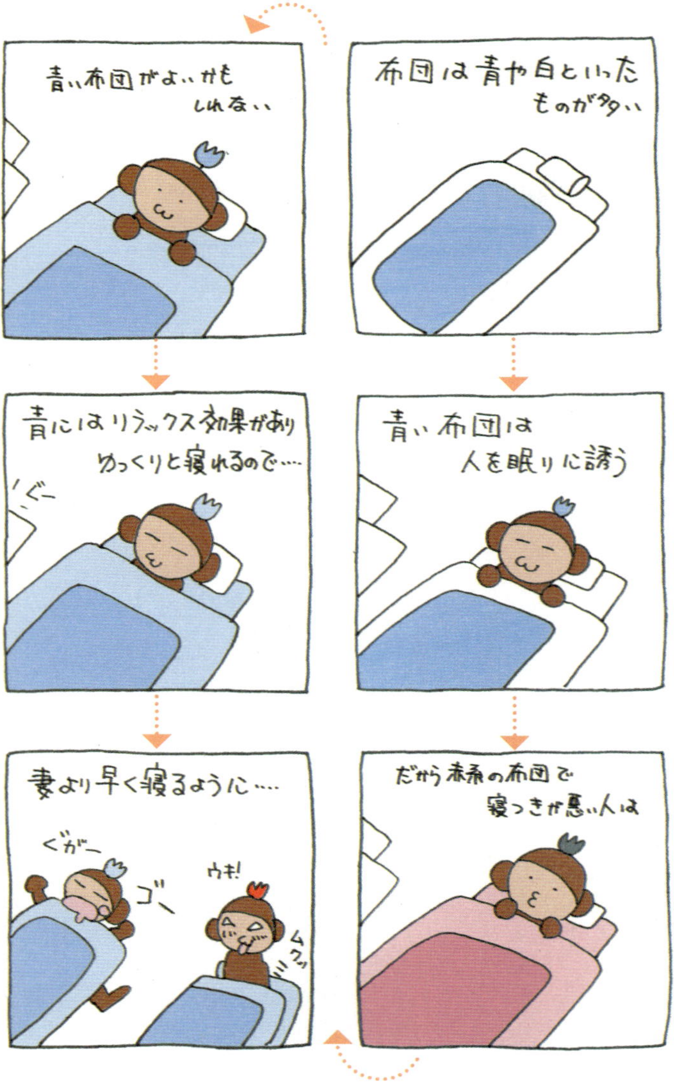
布団は青や白といったものが多い
青い布団は人を眠りに誘う
だから赤系の布団で寝つきが悪い人は
青い布団がよいかもしれない
青にはリラックス効果がありゆっくりと寝れるので……
ぐー
妻より早く寝るように……
ぐがー
ゴ、
ウキ!
ムクッ

第2章

色彩心理と実践

色彩心理とはいったいどんな学問なのか？　色彩心理はどのような流れの中で生まれ、活用されてきたのか？　色彩の歴史を簡単に振り返りつつ、実際に色彩心理が活用されている現場やその例を紹介する。

色彩心理学とは

〜色と心の動きを知れば、もっと人生が楽しくなる〜

心理学は心のさまざまな働きを研究する学問で、人の行動を科学的に探求するものである。心理学には、教育心理学を始め犯罪心理学や産業心理学、児童心理学などの分野があり、さまざまな角度から研究がなされている。その中で色彩心理学は、色彩をとおして科学的に心の動きを探求しようとするものだ。色彩をとおして人の心の動きを知り、さまざまな心の問題を解決することに役立っている。色によって人がどんな影響を受けるのかを知れば、色によってまどわされることが少なくなり、もっと効果的に色をコントロールすることができるのだ。また、人がどの色を好み、どの色を嫌うかで、心の基本的な性格もわかる。人と色の関係にくわしくなれば、人そのものの行動や性質が見えてくる。さらに、色を使って誰かほかの人の心を動かすこともできるのだ。

近年、色彩心理の認知が著しくあがり、多くの分野で活用されるようになった。たとえば店舗が効率よく人を集客し、販売を促進させ、回転率を上げることなどに活用されている。商品パッケージのカラーリングは商品のイメージ向上や購入の動機づけに活用されて、看板やチラシの世界にも浸透しつつある。あなたは知らず知らずのうちに、色彩心理に動かされているかもしれない。

色彩が人に与える効果は実に複雑で、複数の効果が混じり合って伝わってくることが多い。受ける影響も個人差が大きい。だからこそ、色彩心理はおもしろい。色と心の動きを知れば、見えなかったものが見えてきて、人生が楽しくなるだろう。

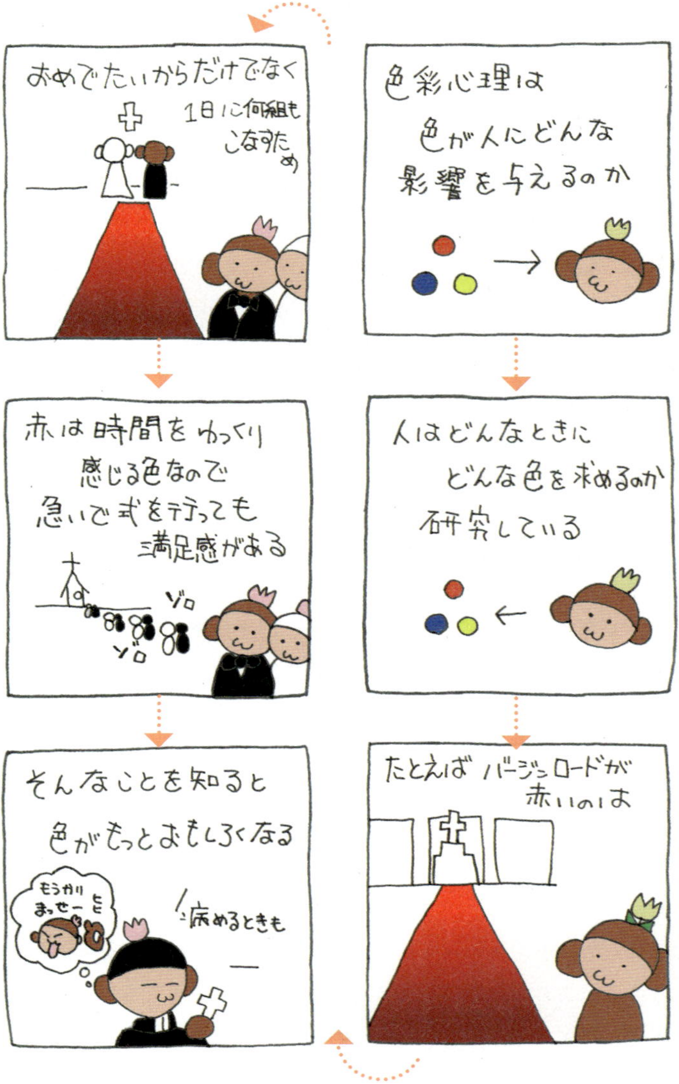
色彩心理は
色が人にどんな
影響を与えるのか
人はどんなときに
どんな色を求めるのか
研究している
たとえば バージンロードが
赤いのは
おめでたいからだけでなく
1日に何組も
こなすため
赤は時間をゆっくり
感じる色なので
急いで式を行っても
満足感がある
ゾロ
ゾロ
そんなことを知ると
色がもっとおもしろくなる
病めるときも
もうかり
まっせー
ヒヒ

色彩探求の歴史
～色の歴史と色彩心理～

北米インディアンが残した壁画やスペインの洞窟壁画、日本の古墳に残された装飾品などを見ると、人類は古くから色になにかの意味を持たせ、使っていたことがわかる。美術や芸術ではない、もっと呪術的な背景があったようだ。古代エジプトの遺跡からは、8色程度の仕切りがあるパレットも発見されている。古代ギリシャ人が使った配色には配色理論が存在していたといわれており、人類は古くから身近にある色彩を活用していた。

色の研究は、紀元前500年ごろにアリストテレスなどの哲学者によって始まったとされている。ルネッサンス時代には、レオナルド・ダ・ヴィンチが書物の中で、色彩の調和や補色効果など色の不思議な効果について詳細に語っている。

そして1666年には、アイザック・ニュートンが光から7色のスペクトルを発見。色彩とは、光の異なった波長であることを明らかにした。一方、ヨハン・ヴォルフガング・フォン・ゲーテは、色が人間の感情にどのような影響を与えるかということに着目し、精神的な色彩理論を1810年に発表した。これは、現在の色彩心理の礎《いしずえ》にもなっている。ちなみにゲーテは長年色彩の研究に没頭し、ニュートンの科学的な色彩論を徹底的に否定していた。詩人として有名なゲーテだが、実は色彩研究家としても活動していたのだ。

その後、色は多くの研究者がさまざまな研究を行ってきた。20世紀になるとアルバート・H・マンセルやウィルヘルム・オストワルトによって色彩のシステムが確立。現在も活用されている色彩体系が誕生した。ただ、本格的に色彩心理が研究されるようになったのは、ここ最近のこと。まだまだ新しい学問なのである。

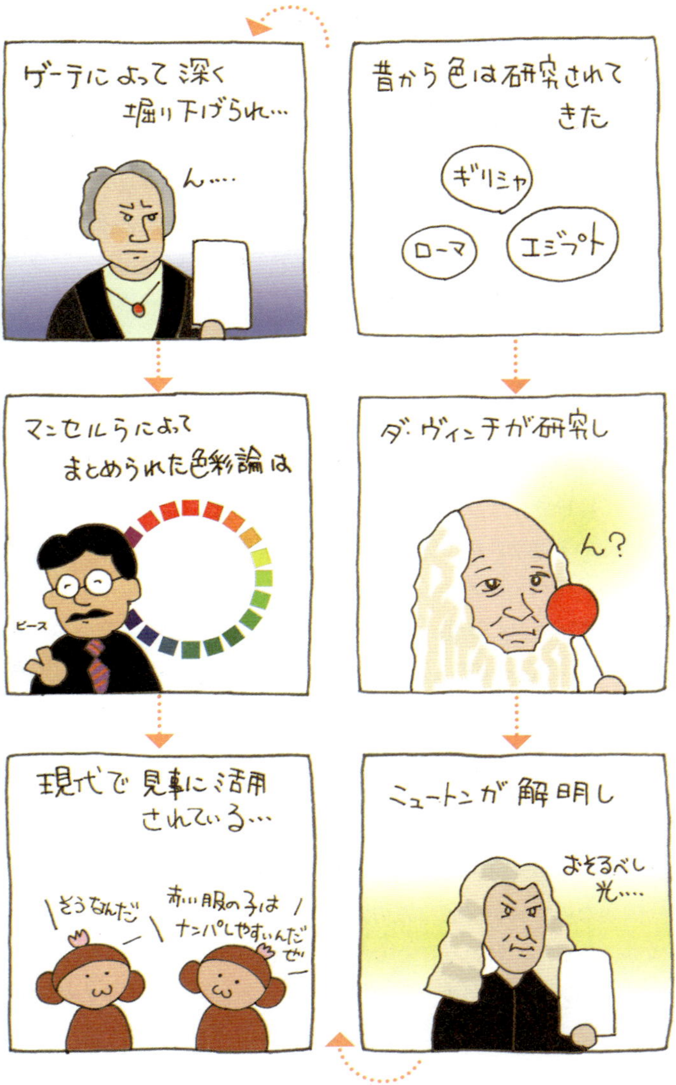
昔から色は研究されてきた
ギリシャ
ローマ
エジプト
ダ・ヴィンチが研究し
ん？
ニュートンが解明し
おそるべし光…
ゲーテによって深く掘り下げられ…
ん…
マンセルらによってまとめられた色彩論は
ピース
現代で見事に活用されている…
そうなんだ
赤い服の子はナンパしやすいんだぜ

色彩心理の実際Ⅰ／子供と色彩心理①
～子供が描く絵の秘密～

それでは、実際に色彩心理がどのような形で利用されているかを紹介しよう。子供が描く絵は、子供の心理状態を映す鏡。子供の絵をとおして、子供の性格判断や心理状態を研究する心理学者は多く、色彩心理からのアプローチも行われている。子供の感性は豊かで、見たとおりに描くとはかぎらない。山を緑、海や空を青で塗らず、赤い山や緑の海など、自由な発想で多彩な色彩を使う。ただ、太陽を灰色で塗り、人の顔を紫や黒で塗る場合は、なにか問題を抱えているサインかもしれない。人の肌の色や太陽の色に、自分の気持ちを投影する子供は多いようだ。どんな色をどのように使ったか、なにに対してどのように塗ったかなども重要である。

多くの子供は、橙や赤、黄といった暖色系の色を好む。自由に自分の気持ちを明るい色で表現する。ところが、規律や厳しいしつけで抑圧された子供は、寒色系を使うようになる。橙や赤、黄といった暖色系も使い方が極端だと、かならずしもよいとはかぎらない。過度に赤を使うのは、敵意にあふれているか、愛情に飢えている子供によく見られる現象だ。黄を過剰に使う場合も同様に愛情に飢えていることがある。また、黒や紫は精神面のトラブルや肉体的な障害があるときに登場してくる。これらの色が頻繁に出てくる場合は、親は注意して子供を見る必要があるだろう。

問題なのは何色を使ったのかということではなく、何色をどのように使ったかということである。感性豊かな子供がすることなので、多少、日常と違う色を塗ったからといって、子供の精神状態を杞憂する必要はない。子供たちの自由な感性は大事にしてほしい。

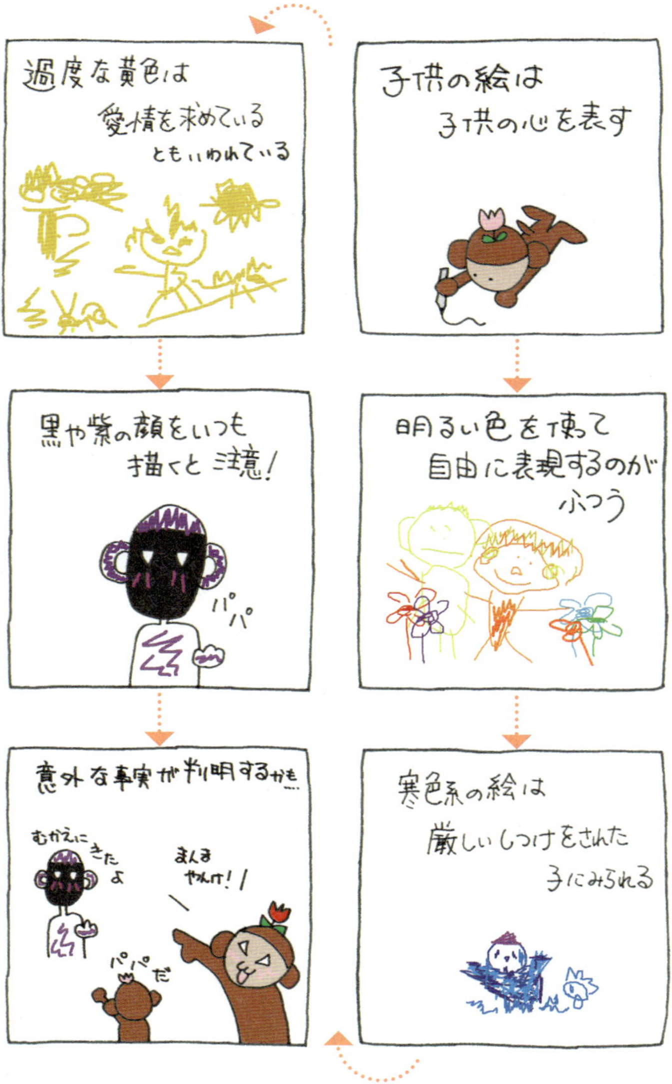
子供の絵は
子供の心を表す
明るい色を使って
自由に表現するのが
ふつう
寒色系の絵は
厳しいしつけをされた
子にみられる
過度な黄色は
愛情を求めている
ともいわれている
黒や紫の顔をいつも
描くと注意！
パパ
意外な事実が判明するかも…
むかえにきたよ
まんまやんけ！！
パパだ

色彩心理の実際Ⅰ／子供と色彩心理②
～子供部屋は寒色系がよい～

子供は、形を認知するより先に色を認知する。赤い丸い形をしたものと同じものを取るという実験を行うと、子供は丸い緑の形をしたものでなく、赤い四角を選ぶ傾向がある。この傾向は年齢を重ねるごとに変化し、小学生の高学年になると、多くの子供が色よりも形を同一だと認知するようになる。子供にとって色は、形より重要な意味を持っているのだ。だから子供には鮮やかな色をたくさん見せ、鮮やかな服を着せてあげたい。

また、子供たちが多くの時間を過ごす子供部屋や、教室の壁の色は重要である。子供の集中力を高めたいなら、寒色系の部屋をすすめたい。青は求心力を高める色。集中力がつく色なので、勉強をするにはすぐれた効果を表す。壁の色など全体的に青にすると寒々しくなるので、カーテンやカーペットなどにとどめ、全体量は抑え気味にしたい。壁はベージュ系などの落ち着いた色もよい。リラックス効果が期待できるので、子供たちの自由な発想を促進する。また、壁は単色よりも幾何学的な柄や抽象的な柄があるほうがよい。子供たちの想像力が豊かになる。著者も子供時代には、自分の部屋にあった不思議な柄をいつも見て、いろいろなものを想像していた。また、暖色の壁も使い方によっては悪くない。あるドイツ人研究家の報告によれば、小学校の壁の色を橙にしたところ、子供たちが仲よくなる言動が増えたという。木調の机は、子供の情操教育に役立つ。美しいものを美しく、楽しいものを楽しく素直に表現でき、感情を豊かに表現できるようになるのだ。照明は蛍光灯よりも白熱灯のほうがよい。蛍光灯は子供を無気力にする傾向があるようだ。

子供部屋は
ベージュや寒色で
まとめて
あげるのがよい
ベージュはリラックスの色
青は集中力もつく
カリ
カリ
代謝もよくすると
いわれている
子供部屋に寒色はよい
でも寒色は太る
バク
バク
それ
間食!

色彩心理の実際Ⅱ／犯罪と色彩心理
～刑務所の色彩と犯罪防止色～

色彩心理は犯罪を防止、抑制する手法としても注目を集めている。たとえばアメリカのカルフォルニア州にあるサンタクララ郡刑務所では、無機質な壁の色から淡くてやさしいピンクに塗り替えたところ、囚人同士の喧嘩や暴動発生率が下がったという。淡いピンクは、人をやさしい気持ちにし、緊張をやわらげる効果があるのだ。この場合、あまり赤みを強くしないピンクを使うことがポイント。赤みが強くなると、成人男性の感情を興奮させてしまう効果があるので逆効果となる。

また日本でも、法務大臣の私的諮問機関である業界改革の会議の提言がきっかけとなり、刑務所内の受刑者の衣服と布団の色が改められることになった。大学教授や色彩心理学者の監修によって暗い色の服は明るい色になり、オレンジと緑の縞模様の布団も替わる。オレンジと緑の縞模様では目がチカチカするし、強い色のオレンジではなかなか眠りにつきにくい。灰色という刑務所のイメージもやっと明るいイメージになり、更生を誓う受刑者たちの健全な精神状態づくりにも役立つと期待されている。

大阪市旭区にある商店街では、青い色の防犯灯が点灯している。青い色の感情沈静効果を狙った施策である。青には攻撃的感情を抑える性質があるといわれている。さらに青色防犯灯は白色防犯灯よりも光が遠くまで届くので、犯罪を抑制する効果が期待できる。空き巣被害と自転車の盗難が多かった商店街だが、青色防犯灯導入後には減少したという。この効果は、青色効果だけでなく、青色防犯灯導入による防犯意識の向上や注目度のせいも考えられる。継続的な効果の検証が問われるであろう。

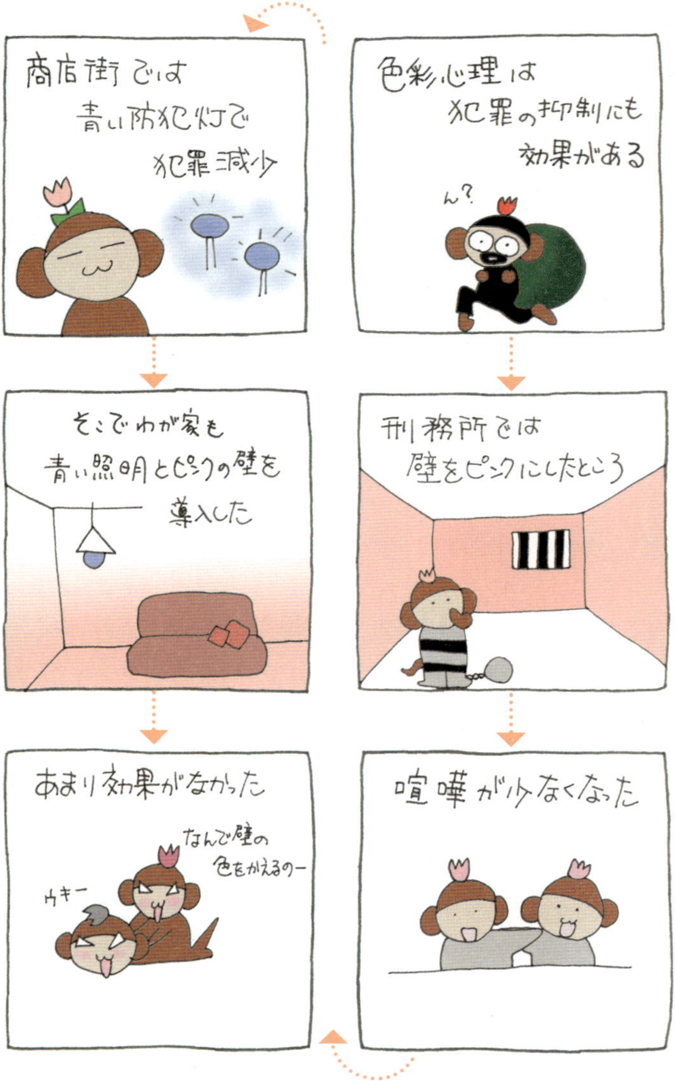
色彩心理は
犯罪の抑制にも
効果がある
ん？
刑務所では
壁をピンクにしたところ
喧嘩が少なくなった
商店街では
青い防犯灯で
犯罪減少
そこでわが家も
青い照明とピンクの壁を
導入した
あまり効果がなかった
なんで壁の
色をかえるの一
ウキー

色彩心理の実際Ⅲ／企業と色彩心理①
～企業とイメージ～

多くの企業が、良質なイメージの確保に躍起になっている。企業が出す商品は、その企業のイメージ次第で売り上げが大きく変動するからだ。ビールなどの製品は「味」という差別化が図れるが、医薬品などほとんど成分が同じという商品もある。このような場合は、企業のイメージが大きく左右する。企業イメージは、CMや日ごろの企業活動など、さまざまなものの積み重ねで人々の中に重ねられていく。良質なイメージ構築は時間がかかるが、悪いイメージがつくのはあっという間だ。そして、企業が恒常的にイメージを発信していくものにロゴマークやロゴタイプ、コーポレートカラーがある。企業はマークや色の中に伝えたいことを閉じ込め、マークを使ってイメージを投下していくのだ。

企業のビジュアルイメージの中で、コーポレートカラーが果たす役割は大きい。色は形よりも簡単に人に記憶される。一瞬、チラシを見て、あとでその店のロゴマークは思い出せなくても、緑だったとか、オレンジだったとか、ロゴの色を思い出すことは容易だ。色は相手の印象に残りやすく、また、相手に感情を伝えやすい性質がある。

また、製品や商品パッケージの色にも企業は力を入れている。消費者の目を引くデザイン、カラーリングであれば、商品を吟味することなく、第一印象で買う「ジャケ買い」といわれる購買心理を促進させるからだ。企業は、人間のその心理をよく知っている。たとえばパソコンのセキュリティ対策ソフトの色は、危険を警告する黄色や赤が中心。これは、見ただけで買わなくてはいけないと思わせる心理が働いてしまうからだ。

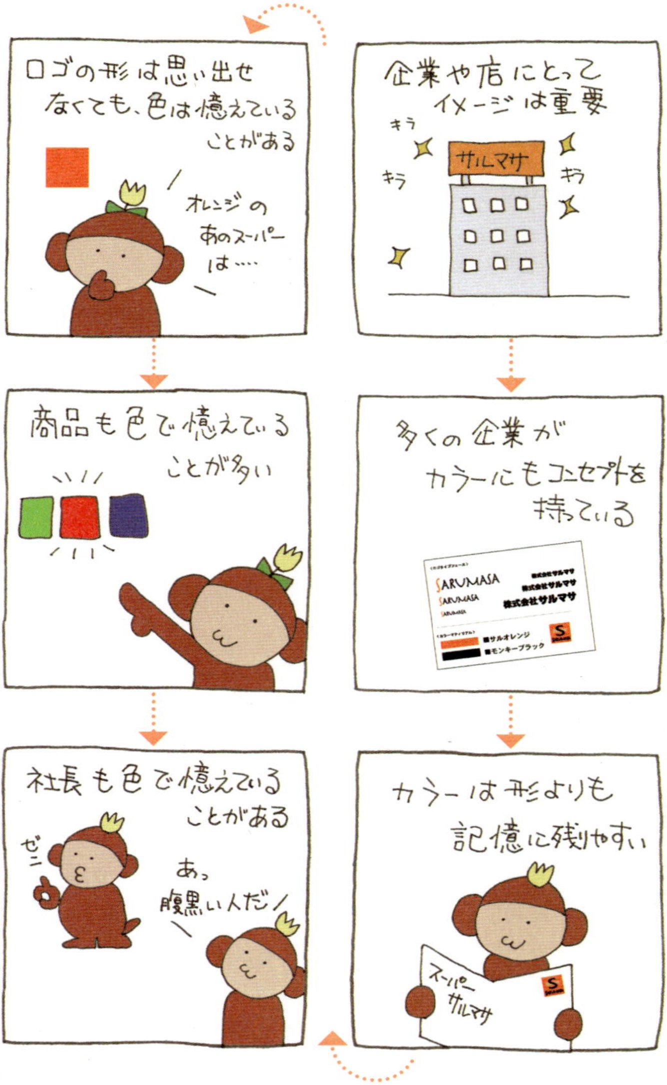
企業や店にとってイメージは重要
キラ
キラ
キラ
サルマサ
多くの企業がカラーにもコンセプトを持っている
SARUMASA
SARUMASA
株式会社サルマサ
株式会社サルマサ
株式会社サルマサ
■サルオレンジ
■モンキーブラック
S
カラーは形よりも記憶に残りやすい
スーパーサルマサ
S
ロゴの形は思い出せなくても、色は憶えていることがある
オレンジのあのスーパーは……
商品も色で憶えていることが多い
社長も色で憶えていることがある
ゼニ
あっ腹黒い人だ

色彩心理の実際Ⅲ／企業と色彩心理②

売れるパッケージ、商品の色も変化する

商品のカラーリング傾向は、商品の種類によっても変わる。化粧品などは、淡いやさしい色のパッケージが多い。食品は赤や橙、黄などのビビッドな原色が多い。商品のパッケージは売り上げにダイレクトに反映されるため、どの企業もパッケージ作りには時間と手間をかけている。一般的に売れるとされているカラーリングは、白と赤の組み合わせ。赤は目立つし、白と組み合わせることでキレイなコントラストを生み出す。たとえば納豆などの商品でも、商品をイメージしやすくする色よりも明るい赤のパッケージのほうが売れる。ところが最近は、多彩なニーズに応えて、さまざまな色の商品やパッケージがヒットを飛ばしている。たとえば、劣化した商品を連想することから、負のイメージが強くタブーとされていた黄色の商品パッケージ。しかしドラッグストアには、ビタミン剤やサプリメント、ドリンクなど、多くの黄色の商品が並んでいる。紫色のパッケージまである時代だ。商品パッケージの世界では、タブーといわれたカラーがなくなってきた。

企業は青が好き

コーポレートカラーを青にする企業は多い。これはどうしてだろうか？ 青は誠実、安定の象徴。先進性を表す色でもあり、企業が打ち出す良質なイメージに向いている。明るい青を使うかぎり、負のイメージはほとんどない。そして青は多くの人に好まれる色である。世界的に見た場合、唯一のカラーといってよいほど、どの国でも好感度の上位に入る色だ。世界を視野に入れている企業が注目の色なのである。

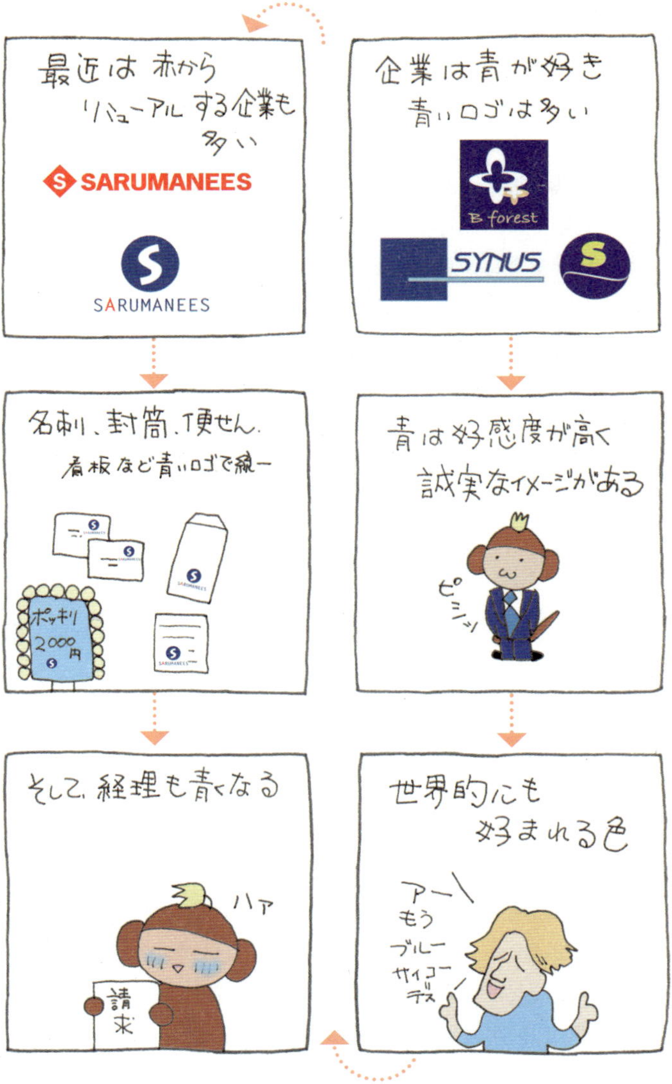
企業は青が好き
青いロゴは多い
B forest
SYNUS
青は好感度が高く
誠実なイメージがある
ピシッ
世界的にも
好まれる色
アー
もう
ブルー
サイコー
デス
最近は赤から
リニューアルする企業も
多い
SARUMANEES
SARUMANEES
名刺、封筒、便せん、
看板など青いロゴで統一
ポッキリ
2000円
そして、経理も青くなる
ハア
請求

色彩心理の実際Ⅲ／企業と色彩心理③

企業イメージと選定カラー

数年前、著者はあるテーマパークの制服のカラーコーディネイトに携わったことがある。スタッフの夏服が変更されるということで、会議室に関係者が15人以上も集まり、次の制服は何色がよいか、活発な意見が飛び交っていた。結局、パンツはウルトラマリンのような鮮やかな青色がよいということになったが、上に着るポロシャツの色が決まらない。ある人は青にいちばん合うのは水色だという。別の人は青にいちばん合うのは白だといった。そして険悪な雰囲気になり、会議はピリピリとした雰囲気で包まれた。まずいなと思っていると、その矛先は突然私に向けられ、どっちがよいのですかと詰め寄られて、非常に恐ろしい思いをしたことがある。

これは、多くの企業が陥りやすいトラップ。答えは両者とも正解で、どちらの色もウルトラマリンに合う色だ。ポイントは、組み合わせると発信するイメージが異なるので、どんなイメージを発信したいかということである。制服の色を「合う」「合わない」「好き」「嫌い」という視点でとらえてはいけない。ウルトラマリンと白を組み合わせると若々しく、さわやかなイメージになる。動きがありスピード感も出る。いっぽう、水色と組み合わせると、都会的で洗練されたイメージになる。ブルーの濃淡の組み合わせは、オシャレにも映る。どんなイメージを来園者に感じてもらいたいのか、どんなイメージを発信したいかを考えれば答えは簡単に導き出される。最終的に若々しさやさわやかさをアピールしたいということで、白いポロシャツ採用。制服はさわやかな夏のイメージになったが、私は広告を見るたびに恐怖心を覚えてしまう…。

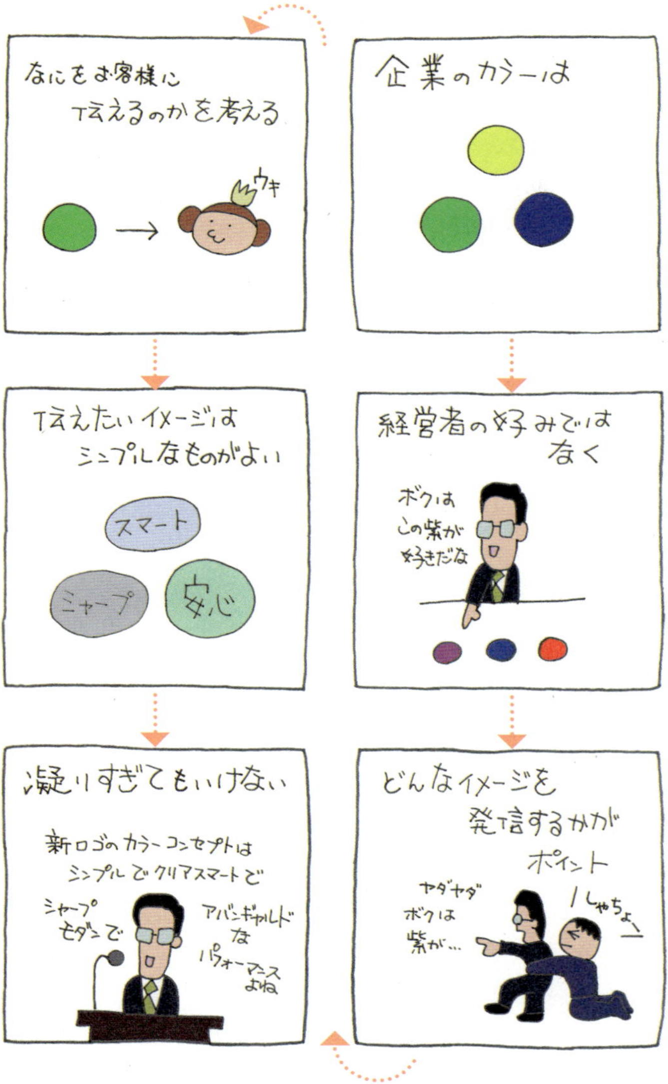
企業のカラーは
経営者の好みではなく
ボクはこの紫が好きだな
どんなイメージを発信するかがポイント
ヤダヤダ ボクは紫が…
しゃちょー
なにをお客様に伝えるのかを考える
ウキ
伝えたいイメージはシンプルなものがよい
スマート
シャープ
安心
凝りすぎてもいけない
新ロゴのカラーコンセプトはシンプルでクリアスマートで
シャープモダンで
アバンギャルドなパフォーマンスよね

色彩心理の実際Ⅳ／就職活動と色彩心理
～就職活動に対する色、リクルートスーツ～

日本には不思議な慣習があるが、その1つに就職活動のときに見られるリクルートスーツなるものがある。就職の時期になると、濃紺や黒、グレイのスーツを着た学生たちがあふれる。Yシャツやブラウスは、白が基本。整った髪の毛にカバンまで同じ。個性が求められる時代に、みんな同じ服で登場しなくてはいけない理由はない。無難だからという守りの姿勢もいただけない。企業と学生はあくまでも対等。経営側と雇用という立場の違いはあるが、人材は企業の財産である。臆することなく堂々と自分の個性を表現する服を着ればよいと思うのだが、なかなかそうもいかないようだ。

紺や濃紺などのスーツは清潔感もあるし、スラリとスマートに見せる色である。白いブラウスは、女性の肌をキレイに見せる。ところが白と紺の組み合わせは、人を冷たい印象に見せるというデメリットもある。緊張して思ったように話せないなら、完全に洋服の中に埋没してしまうのだ。結果的に面接官の印象に残らなくなる。企業や面接官によって考え方はいろいろあるだろうが、無難という理由で個性を消してしまうのはもったいない。

海外にはリクルートスーツなるものはない。国や場所によってもちろん異なるが、男性なら派手でなければカラーのシャツも着ていくし、女性なら、フォーマルウェア系ではあるが紺である必要はないようだ。同じリクルートスーツを着るにしても、ちょっとしたアレンジはどうだろう。男性ならネクタイのカラーにワンポイント、女性ならブラウスの色やデザインの工夫もできる。気に入ったものを着て、笑顔でいくのがいちばん。ただし、オシャレをアピールする場所でないことは覚えておきたい。

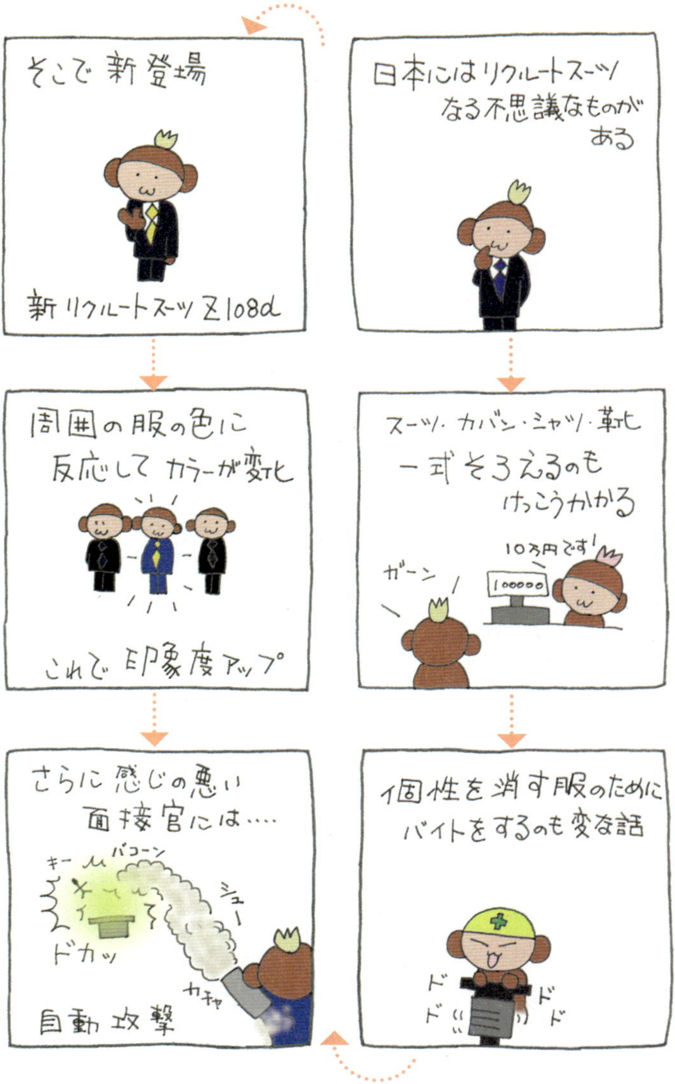

日本にはリクルートスーツなる不思議なものがある
スーツ・カバン・シャツ・靴
一式そろえるのもけっこうかかる
ガーン
10万円です！
100000
個性を消す服のためにバイトをするのも変な話
ドドドド
そこで新登場
新リクルートスーツ Z108α
周囲の服の色に反応してカラーが変化
これで印象度アップ
さらに感じの悪い面接官には……
キー
バコーン
シュー
ドカッ
カチャ
自動攻撃

色彩心理の実際Ｖ／職場環境と色彩心理
～快適で安全な職場環境を作る色彩調整～

快適な職場環境を作れば、作業効率は上がる。色によって快適な環境を作り出そうとするのが色彩調整で、職場環境などで活用されている。巨大な機械が並ぶ工場は、冷たい無機質な空間。こんな環境で作業者が黙々と作業をするのは困難であり、思わぬ事故を生み出してしまう。このため最近では、グレーの壁から温かみを感じるピンクや涼しさを感じる淡いブルー、やさしいベージュなどの色へと変わっていき、作業者に快適な環境を作り出そうとしているのだ。

多くの人々が集まるような場所では、天井を除く壁に白い色や白に限りなく近い色は使わないほうがよい。白い色を長時間見ていると目に負担がかかり、スキー場で体験する雪目のような現象を生じさせてしまうからだ。作業空間は寒色系が好ましい。時間を短く感じる色なので、単純作業に向いている。寒色を使えば、後退色なので作業空間から威圧感をなくすなどの効果も期待できる。一方で休憩室には暖色系の色が望ましい。ゆっくりとくつろげるやさしい色もよい。どちらの壁も、単調な配色とならないようにしたいところだ。

色彩調整では、安全面のアプローチも重要。危険を知らせる色彩として日本のJIS規格では、赤は消火器や火災報知器、消火栓など消防設備機器、緊急停止、禁止などに使われている。黄と黒は、注意や各種障害物、低くなっている場所などを表すサインだ。また、緑は避難口や医療品などを表し、船にある橙は、航海の安全装置や救命いかだ、救命具などを表している。これらの色は、瞬時に視覚的に場所を知らせる狙いがあるのだ。

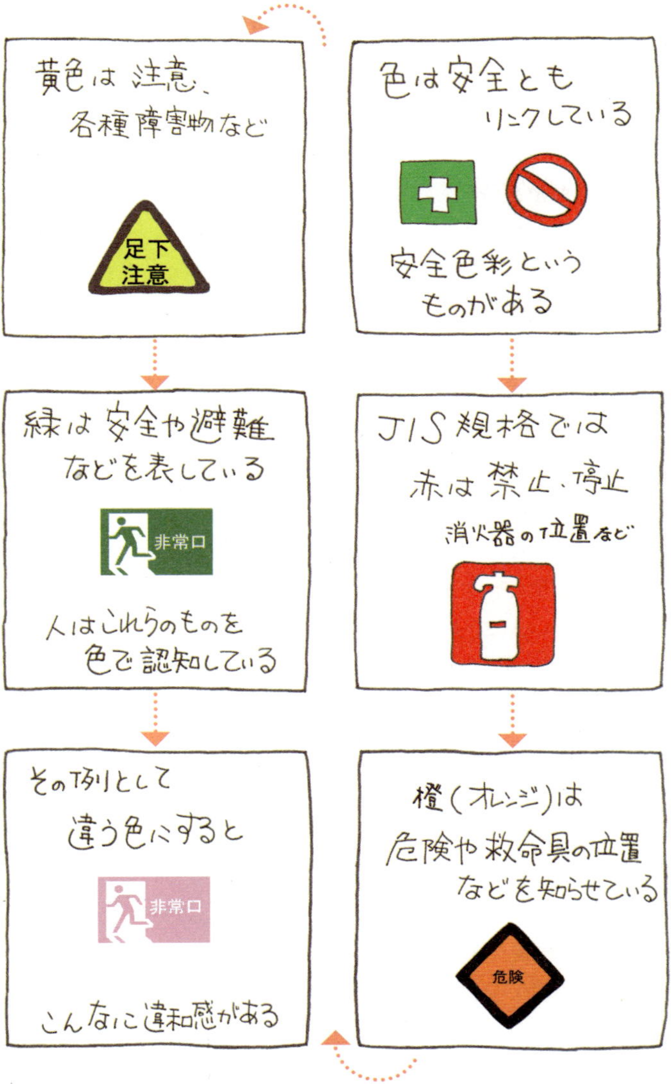
色は安全ともリンクしている
安全色彩というものがある
JIS規格では
赤は禁止、停止
消火器の位置など
橙（オレンジ）は
危険や救命具の位置
などを知らせている
危険
黄色は注意、
各種障害物など
足下注意
緑は安全や避難
などを表している
非常口
人はこれらのものを
色で認知している
その例として
違う色にすると
非常口
こんなに違和感がある

色彩心理の実際Ⅵ／病院と色彩心理①
～病院で使われている色彩調節～

従来、病院といえば白い壁が基調となった空間だった。白くて冷たい壁を見ていると、憂鬱な感じになり、不安を覚える。この環境では、患者は回復への意志を高めることはできない。そこで、病室の壁は親しみを感じるクリーム色や淡いピンク色となり、薄暗い待合室は明るいイメージになった。ナースは白衣に、色のついたエプロンをするようになり、ナースエイドなど補助をする人は色のついた服を着るようになったことで冷たい印象を受けなくなってきた。中には、パジャマのような楽しい柄の服を採用している病院もある。このように病院には色彩心理にもとづいた色彩調整が早くから導入されてはいるが、いまだ改善の途中である。日本は最新医療機器の導入など、ハード面の充実は著しいが、色彩調整のようなソフト面の導入はまだ遅れている。

手術室といえば、緑色の術衣と緑色の床が圧倒的に多い。これは赤と補色関係（反対色）の緑を使うことで、赤を際立たせて見えやすくしようという狙いと、目にやさしい緑を用いることで目の負担を軽減しようという狙いがあった。ところが実際の現場では、見えにくいという意見が続出した。これは色の性質に問題がある。濃い緑の床や服を見ていると赤い残像が出現し、赤いサングラスをかけて術野（手術を行っている部分）を見ていることになる。赤を見えやすくする狙いが、結果的に見えにくくしていたのだ。そこで新しい病院やリニューアルをする病院では、手術室を含め全体的にベージュなどの落ち着いた色を採用している。自然光を積極的に入れるなど、暗くて怖いイメージも改善されるようになってきた。

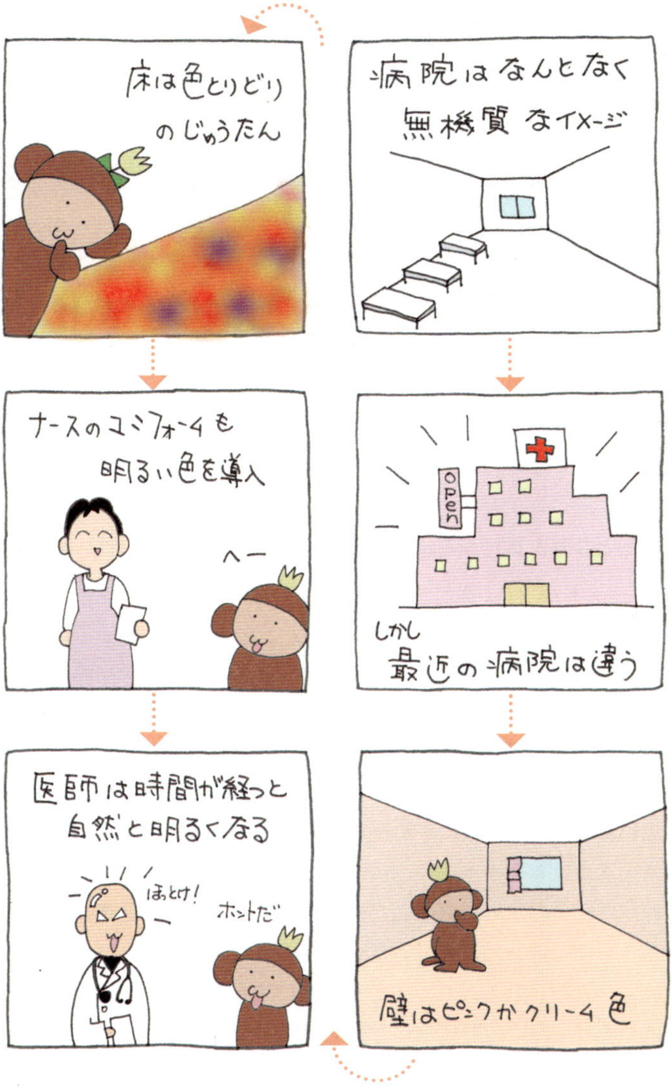
病院はなんとなく
無機質なイメージ
open
しかし
最近の病院は違う
壁はピンクかクリーム色
床は色とりどり
のじゅうたん
ナースのユニフォームも
明るい色を導入
へー
医師は時間が経つと
自然と明るくなる
ほっとけ!
ホントだ

色彩心理の実際Ⅵ／病院と色彩心理②

白衣高血圧とは

色と血圧は、密接な関係がある。赤い部屋にいると血圧は上昇し、青い部屋では血圧が下がることは知られている。ところが病院では「白衣高血圧」と呼ばれる現象があり、高血圧診断の大きな問題となっているのだ。本来、白は血圧上昇色ではない。しかし病院で白衣を着た人が自分の前に立ち、血圧を測ると思うと逆に緊張してしまい、血圧が上昇してしまう人がいる。約1400人を対象に行われたフィンランドの実験では、この「白衣高血圧」は女性よりも男性に多く、全体の約15%で確認された。約7人に1人は本来高血圧でないのに、過剰診断を受ける可能性を秘めているのだ。本来、その効果がない色が集団で使われることで「威圧感」などの象徴となり、新たなるイメージを植えつけてしまう例である。

薬の判別

病院で色を活用しているのは、色彩調節だけでない。薬剤を認知する方法としても使われている。まったく別の効果を持つ薬剤を、名前だけではなく色でも判断できるようになっているのだ。たとえば救急の最前線では、血圧を上げたり下げたりする薬を迅速に使わないと、命にかかわる状況がある。その現場で、「これは血圧を上げる薬か？ 下げる薬か？」など瞬時の判断が求められるわけだ。このため、薬剤名だけでなくラベルの色でも薬を判断できるように色分けされている。薬剤の判断にとまどうことがあれば、一瞬の判断の遅れで人命が危険に失われるかもしれない。色は命を救うために間接的にも役立っているのだ。

白衣高血圧
と呼ばれる症状が
ある
白衣の人を見ると
120
70
よからぬことを想像し
白衣→医者→注射
→痛い→怖い
ブル
ブル
ハハハハ
注射うつぞ
血圧が上昇して
しまう
ホケー
145
95
ブル
ブル
ほかにも若いナースを見ると
125
72
変な汗をかく
ナース高血圧の人もいる
?
モヤ
モヤ
ピピピ
190
121

色彩心理の実際Ⅶ／書籍と色彩心理
～書籍の世界でも色彩心理は活用されている～

オフホワイトの地に黒い活字が並ぶ書籍の世界。無彩色で色彩とは関係のないように見えるこの世界にも、実は色彩心理の概念が応用されている。本の中身は確かに白黒だが、書籍の外部デザイン、いわゆる「装丁」はさまざまな色がある世界。新書が並ぶ書店の本棚は、色彩豊かな空間である。

チェコの国民的作家カレル・チャペックの実兄である画家のヨゼフ・チャペックは、装丁に対して「本の装丁とは、単なる装飾ではなく、本の内容が考慮された美的なものでなければならない」という名言を残している。まさにそのとおりであろう。多くの人は装丁をとおして書籍のイメージを知ろうとし、内容を想像して購入にいたる。装丁は単なる本のカバーではない。物語とともに1つの作品を作りあげる存在である。そこで、イメージを伝えやすい色彩は重要な鍵を握っているのだ。

たとえばミステリー小説の装丁が黒いと、ミステリーのイメージが増殖され、深い謎や多くの伏線、複雑に入り組んだ謎などを勝手に想像してしまう。ラブストーリーが白を基調とした淡い色だと、ハッピーエンドや甘くせつない恋を想像する。ところがこれが逆だったらどうだろうか。淡い色で覆われたミステリーは謎も安っぽく、文章までもが子供っぽいのではと疑ってしまうだろう。また、ラブストーリーの装丁が黒い場合、途中で最愛の人が死ぬとか、不倫のうえに心中、最愛の人は不治の病で、両親は交通事故で他界し、さらに弟は…などとよからぬことを妄想してしまう。装丁の色は、本のジャンルとイメージを伝えるのに活用されているのだ。

無彩色の小説も
実は色が関係している
書籍の外部デザイン
にげんさん
装丁である
ラブストーリーは
甘くやさしい色
赤い色は情熱
暗い色は悲恋を
想像する
ドーン
ミステリーは
ダークな色がよく合う
入り組んだ伏線を期待する
だからこんなミステリー小説は
ウキ？
黒血の湖
嫌だ！

色彩心理の実際Ⅷ／映画と色彩心理①
～映画に見る色彩心理の世界～

映画の多くは色彩をたくみに使い、さまざまな心理効果を狙っている。全体をある特定の色彩が支配するケースや、特定の場面で特定の色が印象に残るようにするなど、使い方も多彩である。ここでは印象的な色彩を使った作品を紹介し、その映画で色がどのような効果を出しているのかを紹介しよう。

『真珠の耳飾りの少女』／2003年：アメリカ・イギリス・ルクセンブルグ

17世紀、天才画家といわれたフェルメールと使用人の少女を巡る人間ドラマ。一般に『青いターバンの少女』と呼ばれている名画『真珠の耳飾りの少女』に秘められた真実に迫った作品だ。象徴的なのは、モデルとなった少女グリートの頭に巻かれた青いターバン。青は12世紀以降、マリアの属性色でもあり、国王の色としてヨーロッパでは神聖なものとされてきた。フェルメールは少女グリートに冴えた青い色のターバンを巻き、真珠の耳飾りをつけて絵画のモデルにさせた。17世紀、ヨーロッパでは赤が流行していた時代、フェルメールが描く絵も赤い服や黄色い服を着た人が多い中で、この冴えた青はめずらしい。フェルメールは、グリートのなかにすぐれた色彩感覚を見い出し、グリートもまた絵画の魅力に引き込まれていった。つまり、フェルメールはグリートと精神的なつながりを求めていたのではないか。 冴えた青と真珠の白。光をまとった美しい色彩。彼は少女の中に永遠の美しさ、マリア様を見ていたのかもしれない。この映画を見るとそんなことを思ってしまう。

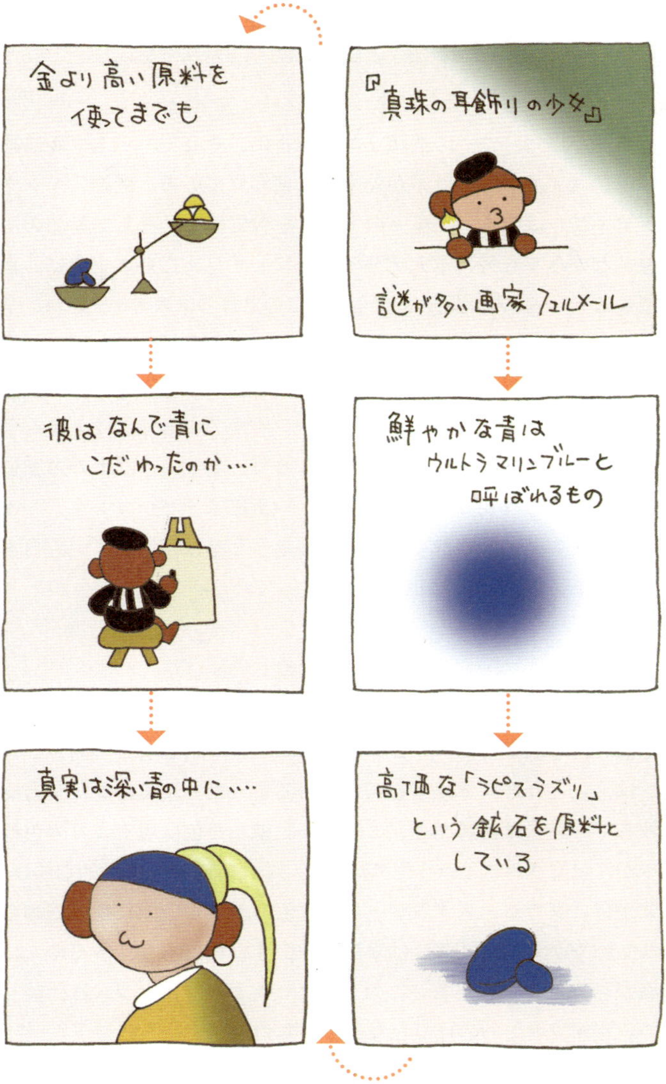
『真珠の耳飾りの少女』
謎が多い画家フェルメール
鮮やかな青は
ウルトラマリンブルーと
呼ばれるもの
高価な「ラピスラズリ」
という鉱石を原料と
している
金より高い原料を
使ってまでも
彼はなんで青に
こだわったのか……
真実は深い青の中に……

色彩心理の実際Ⅷ／映画と色彩心理②

『Mr.インクレディブル』／2004年：アメリカ

スーパーヒーローの活躍をコミカルに、そしてハートフルに描いたアニメ。本作では赤が効果的に使われている。最初、インクレディブルは明るいブルーのスーツを着ている。そして物語の中盤、どうみても某日本人デザイナーにしか見えないエドナに、新型コスチュームを用意してもらう。このときのコスチュームは、全身が赤いスーツに黒のパンツ、黒のブーツと手袋。赤と黒のコントラストが鮮やかだ。このインパクトが力強さの象徴。赤はパワーの象徴であり、あふれる情熱のシンボルでもある。インクレディブルは途中で赤い衣装に替えることで、さらに一段上の力強いキャラに生まれ変わったのだ。そういえばスーパーマンもスパイダーマンも赤が使われている。ヒーローと赤は相性がよい。日本の戦隊モノも、リーダーは赤と決まっている。

『ビッグ・フィッシュ』／2003年：アメリカ

おとぎばなしのように途方もない話をする父と、その息子の絆を描いた心温まるファンタジードラマ。父が語る過去の回想シーンは、色とりどりで絵本を読んでいるようだ。現実のシーンと比較して、過去は色鮮やか。これは、記憶した色は現実よりも色鮮やかに記憶されるという色の特質だ。また、映画で象徴的なのは、父が母にプロポーズするシーン。黄色の水仙が一面に敷き詰められて鮮やかである。黄色は幸福を象徴する色であり、多くの人に温かさと希望を与える。このようにビッグ・フィッシュは、美しい色彩が見どころの作品となっているのだ。

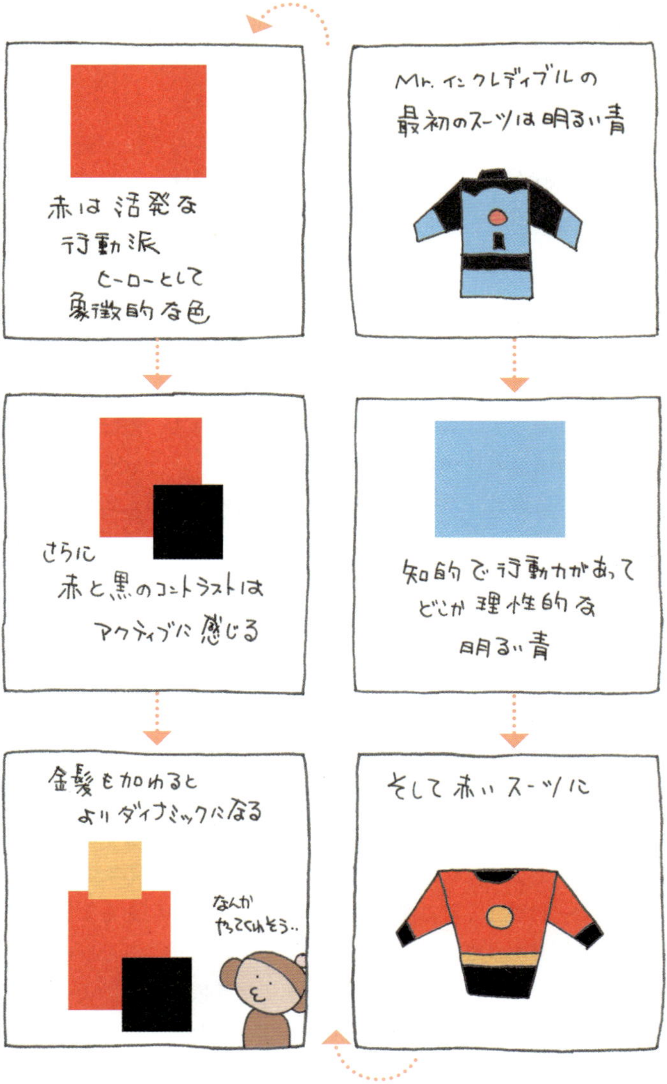
赤は活発な
行動派
ヒーローとして
象徴的な色
さらに
赤と黒のコントラストは
アクティブに感じる
金髪も加わると
よりダイナミックになる
なんか
やってくれそう…
Mr.インクレディブルの
最初のスーツは明るい青
知的で行動力があって
どこか理性的な
明るい青
そして赤いスーツに

色彩心理の実際Ⅷ／映画と色彩心理③

『ALWAYS 三丁目の夕日』／2005年：日本

昭和30年代の東京の下町を舞台に、個性豊かな人々が織りなす心温まる人間ドラマ。2005年度日本アカデミー賞を独占した日本人の心と風景を描く珠玉のエンターテインメント作品で、著者も3回見て3回泣いた。本作はみごとに昭和33年を再現した映画だが、ただ懐かしさを追求した映画ではない。グイグイと引き込まれる秀逸なストーリー展開に加え、現代の私たちがどこかに忘れてしまった感情をふたたび思い起こさせてくれる。そして、この作品の象徴ともなっているのが、夕日の色の橙である。橙はユーモアがあり、貧困にも負けないパワーを持った色。ノスタルジーを誘うイメージもある。夕日町にこそ、ふさわしい色であろう。陽気で活動的な色なので、夕日の下では子供たちが走っている姿がよく似合う。

『グラン・ブルー』／1998年：フランス

無口で繊細なジャックと幼なじみで心やさしいエンゾ。美しい地中海を舞台に、フリーダイビングを競う2人の男の友情と1つの愛を描いたドラマ。この映画は実在のフリーダイバーであるジャック・マイオールがモデルとなっている。映画では地中海の美しい海の色、さまざまなブルーが登場する。しかし、印象的なのはラストシーンで出てくる深い海の青。生と死の間にあるような神秘的な深いブルーだ。意味深なラストシーンだが、ジャックはこの「グラン・ブルー」の中で自分と海との境を取り払い、大いなる海と1つになったのではないだろうか。ジャックはそこで、誰も見たことのない本当のブルーを見たに違いない。

『ALWAYS
三丁目の夕日』
なんてイイ
映画だー
ダー
本作は夕日が
象徴的に
使われてる
夕日の色は
ユーモアの色
笑みをたたえる色
ワハハハ
ハハハ
そして
貧困にも負けない
パワーを持った色
よし！
がんばるぞ
朝日より夕日の方が赤く
見えるのは…
あんなに
大きかったけ…
イメージよ
人に明日への
力を与えるから…かもしれない
よしがんばろー

色彩心理の実際Ⅸ／スポーツと色彩心理
〜スポーツの世界でも色彩心理は活用されている〜

スポーツの世界でも、色によるさまざまな工夫がなされている。たとえば、ユニフォームの色。サッカーは、大きなフィールドを走り回るスポーツで、瞬時に味方のチームメイトを識別する必要がある。襟の形や服のデザインなどは、瞬間的に目に入らない。チームプレーを行う競技の場合、味方の視認性は重要。一瞬で味方が判別つかないと、パスが遅れてしまう。だから、味方チームの判別が簡単に行われるように、色による区別がされている。ただ、色がわかればよいというものではなく、その色がチームのイメージを反映しなくてはならない。多くのチームがありながら、ユニフォームのカラーにあまりバリエーションがないのは、これらの条件をクリアする色がそれほどないからだ。

ゴールキーパーだけユニフォームの色が違うのは、ゴールキーパーというポジションにほかの選手とは違うルールが存在するためである。一般の選手との判別を簡単にしているのだ。黒い色のユニフォームを着たキーパーは、鉄壁をイメージする。赤のユニフォームを着ると膨張色や進出色の影響で大きく飛び出して見えるので、PKなどで相手を威圧する効果があるのだ。

また、陸上競技でも色の研究はされている。白と黒で塗られた従来のハードルを黄色にしたところ、速い記録が出たという実験結果がある。また、陸上競技のトラックを青くしている競技場もある。青は集中力を高める色で、赤茶のトラックよりも走者は集中して走ることができ、体のブレが収まり速く走れるようになるというのだ。実際のところ、まだまだ研究中の部分は多く、これから色彩心理の活用が期待されている分野でもある。

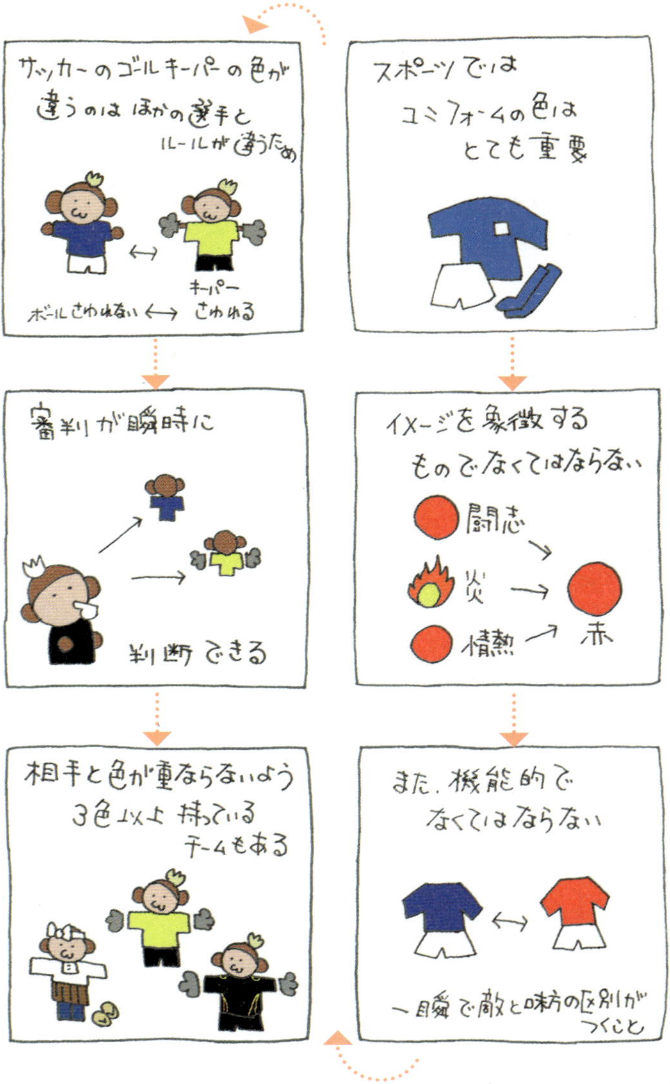
スポーツでは
ユニフォームの色は
とても重要
イメージを象徴する
ものでなくてはならない
闘志
炎
情熱
赤
また、機能的で
なくてはならない
一瞬で敵と味方の区別が
つくこと
サッカーのゴールキーパーの色が
違うのはほかの選手と
ルールが違うため
キーパー
ボールさわれない
さわれる
審判が瞬時に
判断できる
相手と色が重ならないよう
3色以上持っている
チームもある

第3章

色の章／好きな色でわかる性格

人の性格と色の好みには関係がある。何色が好きかで、その人の基本的な性格がなんとなく見えてくるのだ。本章では色別に、その色が好きな人はどんな性格かということを始め、色にまつわる心理効果やエピソードを紹介する。

好きな色でわかるあなたの性格

～人の性格は好む色と密接な関係がある～

ふだん、なにげなく手に取る洋服。クローゼットを開けてみると、自分の洋服の好みがかたよっていたりしないだろうか？ ついついある色の服を見ると、手が伸びてしまう。いや、服だけでなく、小物や雑貨に対してもそうだ。多くの人には好みの色があり、特定の色に反応を示す。同一の色彩嗜好を持つ人は、同一の行動パターンや反応を示すことが多い。実は、色の好みと性格との間には密接な関係があるのだ。色の好みを調べれば、人の基本的な性格が見えてくる。最近、色の好みが変わったなら、それはあなたの性格が変化したことを表している。細かいことをいえば、「今日は何色の服を着たい」というのは、その日の気分、小さな性格の変化ともとれる。それでは人はどんなときにどんな色を求めるのだろうか？ 多くの色彩心理学者がこの問題に魅せられ、世界中で研究が行われている。現在、色と性格の研究は大枠では確立されつつあるが、まだまだ研究は途中である。

本章では、色の好みと性格の関係を色彩学の権威であるフェイバー・ビレンの研究結果、日本の色彩学の第一人者野村順一教授の研究結果に加え、ファッションやデザインの第一線で収集したさまざまなデータや、多くの人の性格と色の嗜好の関係を収集して構築した。

特定の色を好む人の性格がわかるとコミュニケーションもより豊かになるし、自分の性格を見つめるきっかけにもなる。知らなかった一面も発見できるだろう。それでは、いくつかの色とその色を好む人の性格、そしてその色が持つ不思議な背景やエピソードについて解説していこう。

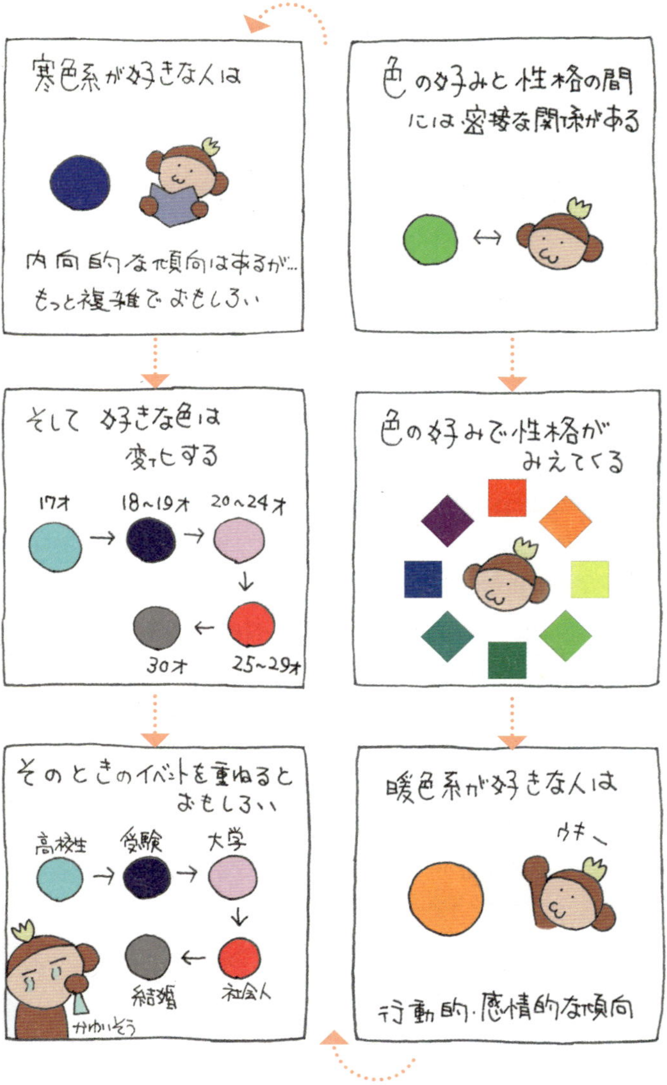
色の好みと性格の間には密接な関係がある
寒色系が好きな人は
内向的な傾向はあるが…
もっと複雑でおもしろい
色の好みで性格がみえてくる
そして好きな色は変化する
17才
18～19才
20～24才
25～29才
30才
暖色系が好きな人は
ウキ～
行動的・感情的な傾向
そのときのイベントを重ねるとおもしろい
高校生
受験
大学
社会人
結婚
かわいそう

黒が好きな人の基本性格

～2種類のタイプから好まれる不思議な色彩の基本色～

黒が好きな人

黒が好きな人には、大きく分けて2通りのタイプがいると思われる。それは「黒を使いこなしている人」と「黒に逃げている人」である。黒を使いこなす人の多くは、都会で暮らし、洗練された生活を送っている。このタイプの人は、人を動かす資質を持っており、すぐれたバランス感覚を持っているようだ。黒の中に聡明さを感じ、黒をまとうことで知的な生活を送りたいと思っている。

一方、黒に逃げる人の多くは、人の目を気にするタイプの人である。特に、黒い服をついつい選んでしまう人はこのタイプ。人からセンスについて評価されることを恐れ、無難でありながら、オシャレに見える黒に逃げる傾向がある。たとえば女性のファッションでは、黒が好きな人はロングのスカートやブーツなどのスタイルを好む。また、彼女たちは高貴や神秘的な存在に見られたいと望んでいる。そして、なにかから守られたいという欲求もある。そしてこのタイプには意外なことに、自信家が多く頑固な部分を持っているようだ。

両方の性格において共通していえるのが、子供のころから黒を好んでいた人はほとんどいないということだ。黒を好きになったのにはなにかの理由がある。いつから自分が黒を好きになったか見つめ直すことで、自分の人生においての分岐点、自分の性格をよく知るきっかけになるかもしれない。

黒が嫌いな人

一方、黒が嫌いな人は、黒の負のイメージを強く受ける人である。黒は基本的に嫌われやすい。黒は絶望や、不幸、不安、閉鎖的などの負のイメージを持つことが多いからだ。

黒が好きな人へのアドバイス

女性は恋愛運に恵まれない傾向がある。好きな異性はできてもなかなか進展せず、進展してもはかなく終わってしまうことが多い。このため好きな人ができたら明るい色を身につけるようにしたい。黒は外の圧力やストレスなどから守ってくれる色であると同時に、運気が未来に向かって進みにくい色でもある。

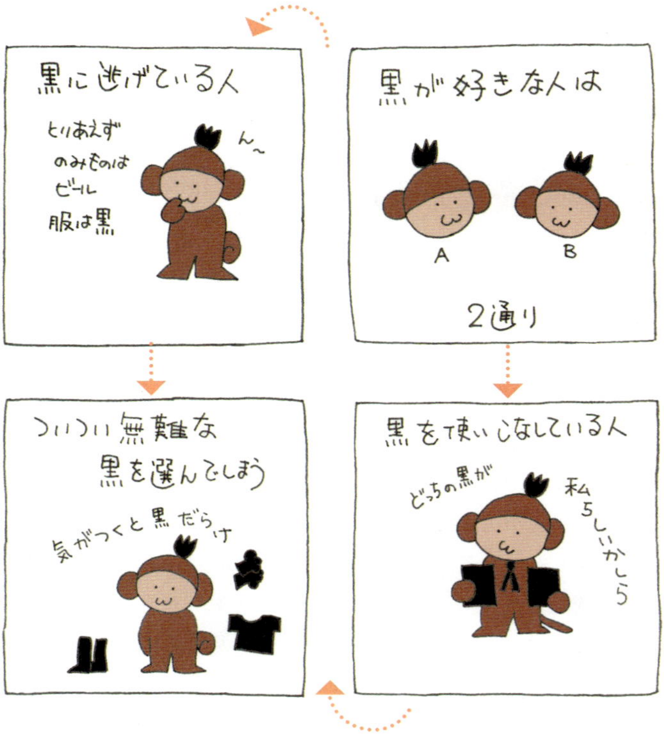

黒の心理効果／黒のエピソード①
～神秘的な色に隠された力～

黒という色は、実に不思議で神秘的な色だ。暗闇や悪、喪服などの暗いイメージがあるものの、さまざまな製品にも使われ、多くの人に好まれる。ファッションの世界でも、「黒が好き」「持っている服は黒ばかり」という人は少なくない。

また黒は、ハードでクールなイメージを代表する色だ。黒は組み合わせ次第で、フォーマルにもモダンにも見える。無彩色であるがゆえ、組み合わせ次第でさまざまなイメージをかもし出すのだ。インテリアやいろいろな製品にも使われているのも、なにでも合うという効果も大きい。また、黒は日本人となじみが深い。和食では、ほかの国ではあまり見られない黒い皿を使う。黒い食材も多い。黒には甘みの効果を増す働きもあり、羊羹などの和菓子は、黒いことで余計に甘く感じるのだ。日本人は、実に黒をうまく使う。

黒の持つイメージとパワー

黒は闇の象徴であり、忌み嫌われるものの代表だった。世界的にも黒にまつわる不吉な言い回しが多い。魔女の服も黒であるし、悪しき魔術を黒魔術という。黒猫は不吉な存在として扱われ、なにも悪いことをしていないのに嫌われる。中国の五行説に代表されるように、不毛な土地である北を黒で表現する国や民族は多い。また、黒には相手を脅かすパワーが秘められており、それを使うと相手を圧倒させることができる。1853年に来航したペリー艦隊の黒い艦隊は、日本人に威圧感を与えたに違いない。柔道でも「黒帯」と聞いただけで、恐ろしくなるイメージがある。

黒はおもしろい色である
暗黒・悪・死
のような負のイメージがあるにもかかわらず
多くの人に好まれる
黒よ
わー
フォーマルな色であり
大人の色
ただし、黒に依存しすぎるのはよくない
早く帰らなきゃ
テク
テク
ウキ?
ドカッ
夜は闇と同化して危険だ…

黒の心理効果／黒のエピソード②

玄人と素人

黒の名誉のために、黒がよい例として使われているものを紹介する。たとえば、玄人《くろうと》と素人《しろうと》という言葉。経験が豊富で技術を持った玄人は、黒人（くろひと）という言葉が語源とされている。「玄」は何度も染めた黒という意味から、経験豊かと表現された。一方素人は、なにも知らない白い状態からつけられた言葉とされている。黒でもよいものにも使われることはあるのだ。

透明の代用に使われる黒

黒をうまく使った例として歌舞伎の世界がある。歌舞伎では黒は透明や無の代用として使われる。舞台進行の介添えをする黒い衣装を着た「黒子」は見えない存在、見えていても見えないことにする存在である。「透明の人」という存在を黒で表現している。また、場の変わり目には、黒い幕を下ろして道具などを片づけることがある。これも世間の目に触れないようなものとして使われているのかもしれない。ちなみに、世間の目に触れずに陰から物事を操作する「黒幕」という言葉は、ここから生まれた。

白は正義で、黒は悪？

「白黒つける」という言葉がある。よいか悪いかハッキリさせたいときに使う言葉である。黒はそのイメージから悪として使われる。警察の隠語でもクロは犯人。相撲の勝ち負けは、白と黒で表され、負けると黒星になる。黒は悪いことの代名詞となってしまった。ちなみに、この「白黒つける」。本当の使い方は、黒白（こくびゃく）をつけるという。

歌舞伎の世界の「黒子」
ヒラ
ヒラ
本来は「黒衣(くろご)」という
なにかを渡したり
オウ
ハイ
ものを片づけるのが仕事
テク
テク
見えているが見えていないことにする
バサッ
お……
実はこの人たちも役者さん
どうも
お弟子さんたちが多い
雪の場面では
白い黒子(黒衣)が
でてくる
雪子、雪後見という
ちなみに、「白子」ではない

黒の心理効果／黒のエピソード③

黒い服の効果

歴史をさかのぼると、黒の服は『源氏物語』にも「墨染の衣」として登場。『平家物語』にも小督が濃い墨染めの法衣を身にまとう記述がある。黒染は10世紀ごろから染料として、日本人の身近にあった。黒は体をストレスから守る色で相手からの影響力を抑える色なので、人からうるさいことをいわれたくないときは黒い服を着るのがよい。誰かから怒られることがわかっている場合は、黒い服を着て自分のダメージを軽減するのも1つの方法だ。しかし、黒の多用は好ましくない。日光を遮断する色なので、使いすぎると老化を促進してしまう。過度に使わない、依存しないようにすれば、黒のパワーを味方にすることができるだろう。

喪服はなんで黒い？

昔、日本の喪服は白だった。江戸時代、男性は白の上下（かみしも）、女性は白無垢の小袖に白帯。黒は喪服の色というよりは、黒の留め袖、紋付きはかまに代表されるように、おめでたい席で着る服である。黒が喪服の色になったのは、海外の影響を強く受けたからだ。ヨーロッパでは復活祭前の金曜日、聖金曜日やミサに司祭は黒い法衣を着る。この法衣がヨーロッパの一般の人々にも喪服として根づいていった。日本では明治30年、英照皇太后が崩御されたときに、明治政府は黒を使った西洋ふうの葬礼を導入した。これが喪服を黒にした発端とされている。その後、日露戦争で葬儀が相次ぎ、白い喪服が不足し、貸衣装屋が黒い喪服を貸し出した。それで一般の人にも黒い喪服が普及したという。喪服が黒いのは、実はヨーロッパの慣習のせいだったのだ。

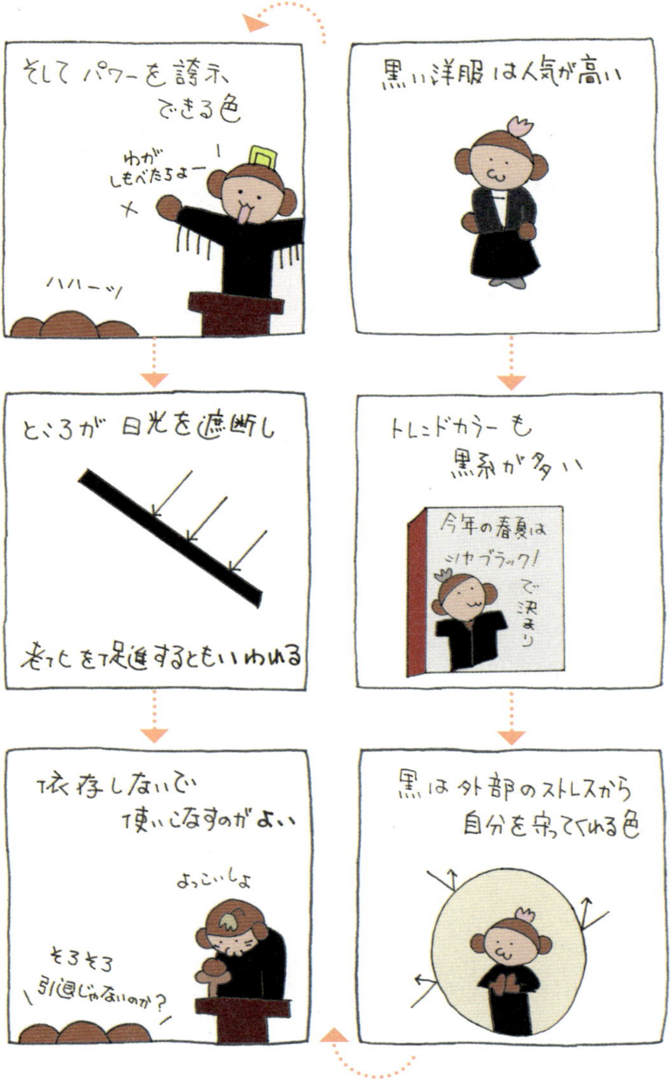
黒い洋服は人気が高い
トレンドカラーも黒系が多い
今年の春夏はシックブラック!で決まり
黒は外部のストレスから自分を守ってくれる色
そしてパワーを誇示できる色
わがしもべたちよー!
ハハーッ
ところが日光を遮断し
老化を促進するともいわれる
依存しないで使いこなすのがよい
よっこいしょ
そろそろ引退じゃないのか?

白が好きな人の基本性格
～まじめですぐれた才能を持ち完璧主義者が多い～

白が好きな人

成人で白を好きという人は少ない。ただし、白にあこがれを持っている人は多い。白が持つ品のよさや純粋さ、美しさにあこがれを持ち、白い服や白い小物に惹かれるのだ。本当にあなたが白を好む人なら、きっと理想の高い人であろう。恋愛でも仕事でも、つねに高い理想を持っているのが特徴。完璧主義者であることも多い。目標に向かって努力は惜しまない、まじめですぐれた才能を持つ人である。白は好きだが、自分は努力家ではないと思うなら、きっとあなたは白にあこがれているタイプだ。服で手軽に理想に近づけるので、安易に白に飛びつくこともある。注目を集めたいと思っているが、目立ちたがり屋ではない。多くの人の心にひっそりと印象に残りたいと願っている人が多い。また、孤独を感じているか、孤独を演じることが得意な人かもしれない。心を浄化したいと思うときも、人は白を求める傾向がある。

また、白は若さを象徴する色であり、若さを手に入れたいときに人は白を求める。女性が年齢を重ねるうちに白を求めるようになってくるのは、白の中に失われた若さを求めているからかもしれない。さらに、白を好きな人の多くは心のやさしい人が多く、家族思いの人でもある。

白が嫌いな人

基本的に白が嫌いな人はあまりいない。白に関心がない人、白に興味がない人はいても、白を嫌いという人はまれである。その場合は、白になにかしらの嫌な思い出、精神的な苦痛の記憶が残っているのかもしれない。

白が好きな人へのアドバイス

白が好きな人は、白の持つ色の特性と同様、いろいろなものに影響を受けやすい。よい意味でも悪い意味でも、人やさまざまなものから影響を受ける。もし、自分が白を好み、いろいろなものから影響を受けるタイプの人であるならば、もっとカラフルな色を身につけ、さまざまな色を見ることが好ましいだろう。

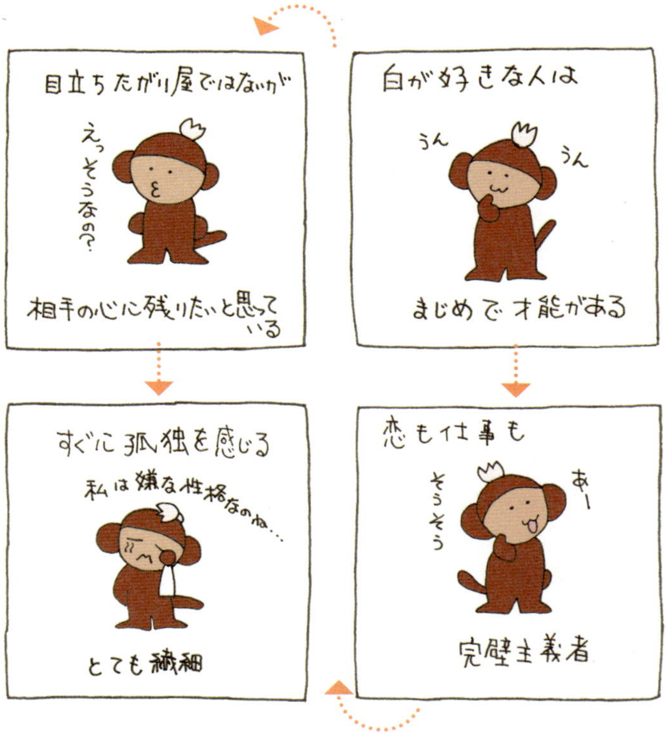

白の心理効果／白のエピソード①

～世界中で崇高な色、神聖な色として扱われている～

白は、世界中で崇高な色として扱われてきた。古代エジプトのホルス神は象徴色として白で表現され、天上界の使者を表すローマの神官も白衣を身にまとう。魔除けの白い護符は、悪魔から目をそむける目的としてある。神や精霊が行う奇跡を白魔術と呼ぶ。キリスト教でも白は、キリストを表す特別な象徴色である。このように白は、神聖な色として世界中で崇められてきた。そう、白馬や白蛇などの生き物も神聖な動物とされている。日本人と白の接点も昔から多く、「古事記」の中にも、白イノシシや白ウサギ、白鳥などが登場する。

白は「純粋」「無垢」といったピュアなイメージがあり、同時に「冷たい」「別れ」のような負のイメージもある。無彩色特有の極端な使われ方をするのも特徴だ。

婚礼の服はなぜ白いのか？

ウエディングドレスが白いのは処女や純潔の象徴である、というのは有名な話である。白いウエディングドレスは、18世紀後半からヨーロッパで始まった意外に新しいもの。日本でも室町時代から、婚礼は白無垢を着る慣習があった。白無垢を3日間着て、そのあとに普通の着物に着替えたという。これがお色直しのもととなっているようで、時代とともに衣装替えの時間は次第に短くなり、いまでは披露宴で行うようになった。また、白無垢は花嫁の純粋無垢の象徴でもあるが、家を出る決意は死をも覚悟するという白装束の意味もあったようだ。

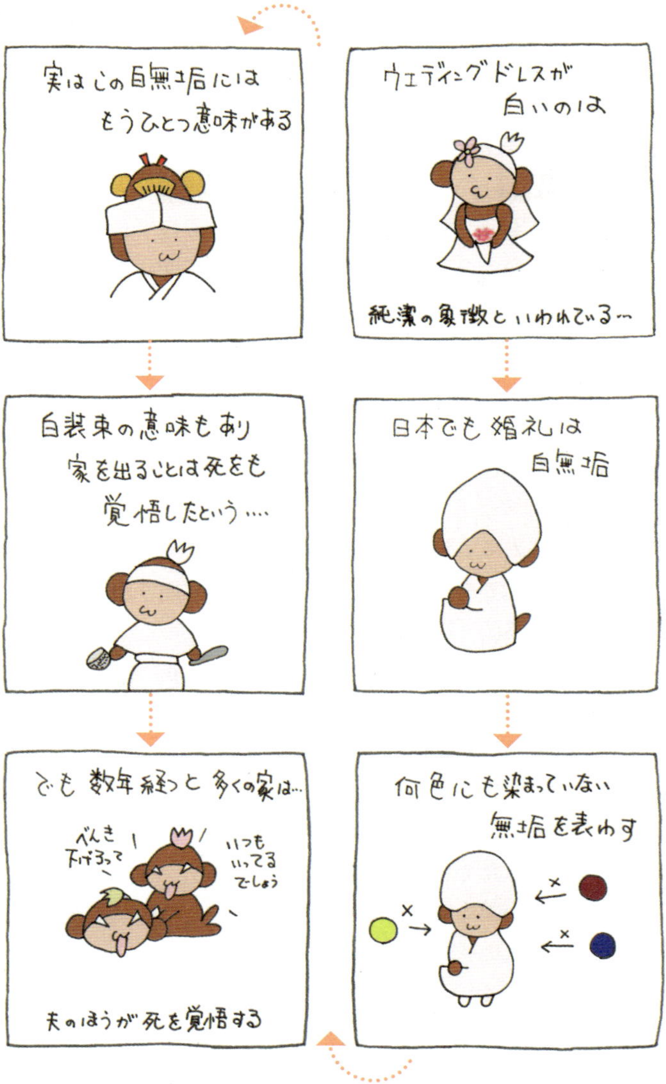
ウェディングドレスが
白いのは
純潔の象徴といわれている…
日本でも婚礼は
白無垢
何色にも染まっていない
無垢を表わす
実はこの白無垢には
もうひとつ意味がある
白装束の意味もあり
家を出ることは死をも
覚悟したという….
でも 数年経つと 多くの家は…
べんき
下げろって
いつも
いってる
でしょう
夫のほうが死を覚悟する

白の心理効果／白の知識②

白旗はなぜ白い？

相撲の星取表に代表されるように、白は「勝ち」を表す印である。ところが、同じ白でもまったく逆のことを表すことがある。それが「白旗」。白は休戦や平和の印。なぜ、同じ白でも逆の意味になるのだろうか？ 白旗が持つ意味は、白になにか意味があるというよりは、この白い旗にあなたの国の旗を書いてほしいという、無垢や無としての意味合いが強いようだ。つまり、相手の国の色を受け入れるという意味を白旗は表している。

人と最初に会うときは白の服を着てはいけない

白い服の印象は男女で大きく異なる。男性にとって白は、Yシャツに代表されるように洋服では標準色になる。本来、白は色を引き立てる効果があるが、習慣のように使っていると、特に印象を持たなくなる。男性にとって白は普通の色、可もなく不可もない。ところが女性にとって白は、少し特別な存在であろう。最初のデートなどに、美しいと思っている白い服を基調にするのは、心理的にもよくわかる。ところが白は「しらじらしい」という言葉があるように、冷たい印象を受けるものなのだ。初めてのデートなどで好きな人と最初に会う場合、白い服は緊張感を増し、うまく話せないと冷たく思われてしまう。おとなしく思われたり、マイナスの効果が強く出てしまう特徴もある。だから、最初に人と会うとき、特にデートなどの場合は、話せないかわりに自分のイメージを象徴するカラーの服を着ていったほうがよい。色は饒舌にあなたの印象を語ってくれるであろう。

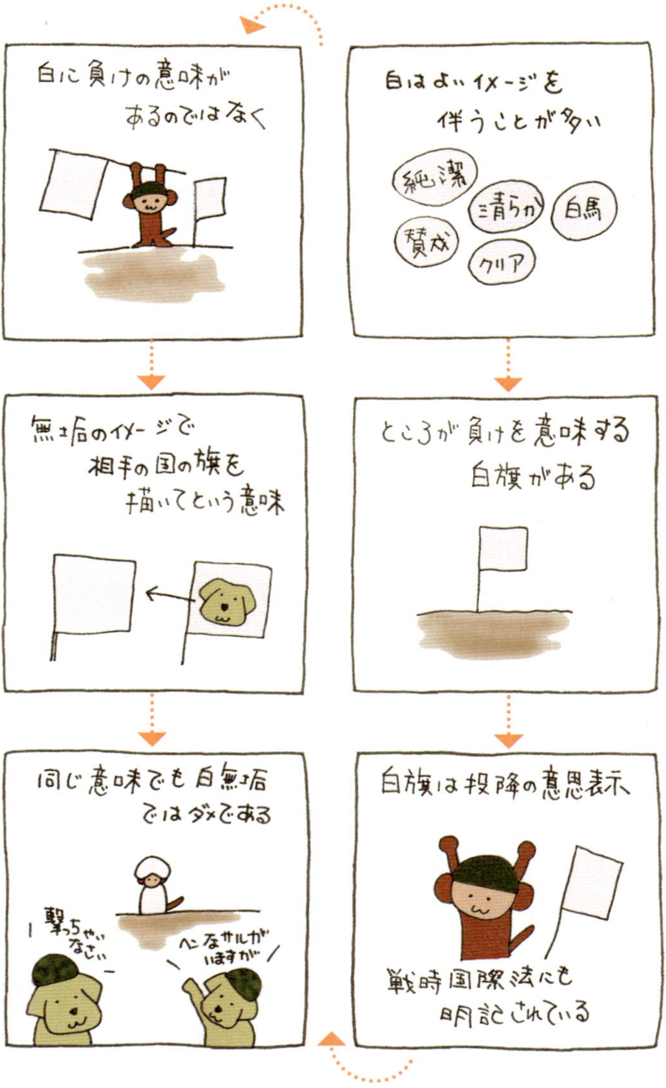
白はよいイメージを伴うことが多い
純潔
清らか
白馬
賛成
クリア
ところが負けを意味する白旗がある
白旗は投降の意思表示
戦時国際法にも明記されている
白に負けの意味があるのではなく
無垢のイメージで相手の国の旗を描いてという意味
同じ意味でも白無垢ではダメである
撃っちゃいなさい
ヘンなサルがいますが

白の心理効果／白の知識③

白雪姫はなぜ白い？

誰もが知っているグリム童話の『白雪姫』。白雪姫の美しさに嫉妬した森の女王（王妃）に毒リンゴを食べさせられ、王子様に救われるという名作である。しかし、白雪姫はなぜ白いのだろうか？「それは、雪が白いからでしょう」。確かにそうかもしれない。でもそれだけではない。この作品に出てくる白雪姫は、雪のように白い肌や血のように赤い唇、黒檀のように黒い髪を持つ少女である。「白雪」は真っ白な雪を表す言葉。この白は雪だけではなく、「純粋」「無垢」といった白雪姫の心、そして透明感のある「美白」の美しさを表している。また毒リンゴの「赤」は、残酷な女王の行いや邪心、美しさに対する嫉妬心の象徴ともとれ、白と対比することで、より白の美しさが際だってくるとも解釈できる。つまり、色彩から見ても白雪姫はとても美しく清らかな少女の象徴であり、女王は邪悪なるものの化身だったとも理解できるのだ。

白が流行すると景気が回復する？

流行色と景気には関係があり、一般的に白が流行すると景気が回復するといわれている。ところが近年の白ブームと景気回復の相関関係を調べてみると、一概にリンクしているとは言い難い。白には「再生」「新規」などのイメージがあり、白を見た人が新しいことを始める傾向があるからだという。確かにその傾向はあるが、それだけでは景気を動かす起爆剤にはならないだろう。効果は本当にごくわずか。ただし、白い服や白いバッグを持てば、景気回復に貢献できると思えば、オシャレも気分がよいものだ。

白雪姫はなぜ白いのか?
それは雪のように
白い肌だから…
しかし、本当にそれだけか!?
んー
美しさはもちろん
純粋で無垢な心を
表わしているのでは…
白
女王との対比もあって
白雪姫は白で
あるべきだった
黒でなくてよかった….
っていうか
まじで
女王
ムカツク
キラーン
黒光姫

グレイ「(灰色)」が好きな人の基本性格
～相手を引き立てるのにたけ、バランス感覚を持った人～

グレイが好きな人

グレイを好む人は、洗練された良識のある人が多い。相手のことを考え、人の役に立ちたいと思っている。自分が前に出ることよりも誰かを支え、遠慮気味に相手を引き立てようとする。グレイは単色ではなかなか好まれない色だが、さまざまな色を引き立てることにすぐれた性質を持っている。グレイを好む人は、そんな色の性質と関係があるかもしれない。いろいろなものに興奮することなく、いつも穏やかな生活を送りたいと願い、人生においての障害物をうまく回避するすべを知っている人が多い。黒を好む人が外部からの圧力を遮断する傾向があるなら、グレイは中和したり、弱めたりしながら受け入れようとする性質がある。バランス感覚を持った人がよく好む。若い人よりも年を重ねた人に好まれる傾向がある。

また、グレイでも明るい「シルバーグレイ」や「ライトグレイ」を好む人は、より都会的でスタイリッシュな傾向があり、とてもデリケートな人の傾向もある。「チャコールグレイ」「ストレートグレイ」などの濃いグレイを好む人は、安定感があるか安定志向でオシャレな人が多い。経営者が好む色でもある。制約や障害が多い経営の世界では、穏当で心地よく思える濃いグレイが、心に安らぎを与えてくれるようだ。

グレイが嫌いな人

グレイを嫌う人は、単調な生活や毎日を嫌う人が多い。グレイはコンクリートの色でもある。閉鎖的な環境や無機質な部屋に抵抗がある人も、グレイを嫌う傾向にある。

グレイが好きな人へのアドバイス

現状から逃げ出したいが動く勇気がないときに、精神状態と近い性質を持つグレイに引かれることがある。そんなときは、グレイと相性のよいピンクや藤色を使うようにし、次第に使うグレイの色を明るくしていくのがよいだろう。グレイの持つ落ち着いたイメージからオシャレな感じにスライドするとよい。

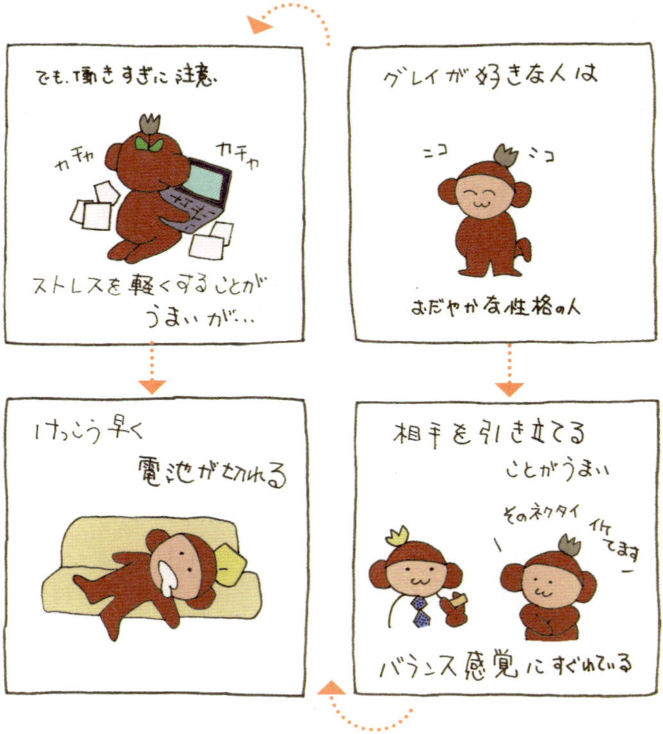

グレイの心理効果／グレイのエピソード
〜黒と白の効果を併せ持ち、相手を引き立てるカラー〜

グレイは白と黒を混ぜて作る色。このため明度差によって、白に近い効果や黒に近いイメージを出す。「チャコールグレイ」は重厚でフォーマルなイメージ。「シルバーグレイ」は上品で静かなイメージを漂わす。白が受ける効果よりも黒の効果のほうが強いので、グレイは黒の影響を強く受けている。このためグレイは、ネガティブな代名詞として使われるのだ。「Gray」には陰気などの意味があり、日本では「灰色」と表現される。ところが、死から生への中間点として、再生の象徴として使われることもある。

単色で使うことよりも、さまざまな色と組み合わせるとオシャレな色になるのもグレイの特徴だ。都会的なコーディネイトやエレガントなイメージは、グレイがあるとぐっとよくなる。

日本人のオシャレはグレイが原点？

日本人は、このグレイを実はとてもよく使う。江戸時代から「鼠(ねず)」といわれ、庶民を中心にオシャレな色として流行していた。江戸幕府が庶民の贅沢を禁止したため服の素材や色にも制限があり、庶民から鼠を活用したグレイの文化が生まれたのだ。それが「四十八茶百鼠（しじゅうはっちゃひゃくねず)」といわれるグレイと茶のバリエーションだった。本当に480種類あるわけではなく、江戸人の粋な語呂合わせと、無数に多いことを表す「八」を使ってその多さを表現したと考えられる。そして、銀鼠や利休鼠、深川鼠、梅鼠とさまざまなグレイのバリエーションができあがった。この繊細にして微妙なグレイのコーディネイトは、豊かな色彩感覚を持つ日本人のオシャレの原点ではないだろうか？

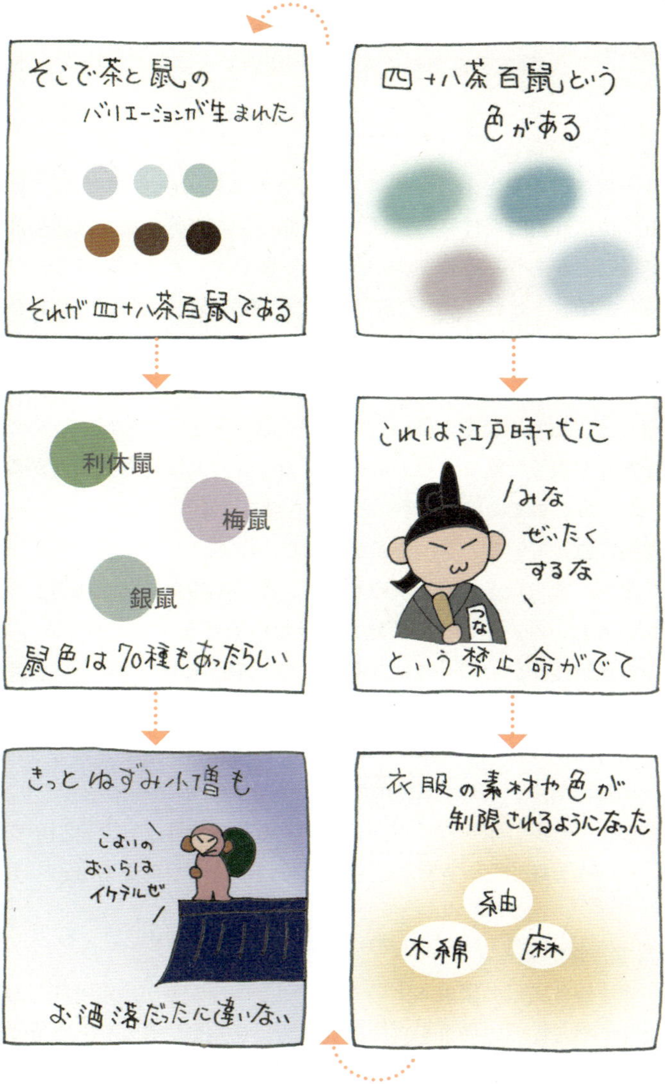

四十八茶百鼠という
色がある
これは江戸時代に
みな
ぜいたく
するな
つな
という禁止令がでて
衣服の素材や色が
制限されるようになった
絹
木綿
麻
そこで茶と鼠の
バリエーションが生まれた
それが四十八茶百鼠である
利休鼠
梅鼠
銀鼠
鼠色は70種もあったらしい
きっとねずみ小僧も
こよいの
おいらは
イケテルぜ
お洒落だったに違いない

赤が好きな人の基本性格
～外向的な性格の象徴。情熱的で正義感が強い人～

赤が好きな人

赤は、男女をとおしてもっとも好まれる色の1つといわれている。特に外向的な性格の人は、赤を好む。赤が好きな人は活動的で行動力があり、運動神経があり、物事を深く考えずに自分の気持ちを発散させることがうまい。ただ、感情の起伏が激しく(特に男女間の問題で)、怒ると手がつけられない人も多い。よくも悪くも考える前に行動し、口から言葉が出てしまうのだ。また、無鉄砲で情熱的で正義感が強い人も多い。話もうまく、感情を込めて身振り手振りで話をする人もいる。赤を好む人は魅力的な人が多いが、わがままで自分勝手、ときどき無礼な態度をとる人もいる。愛情に飢えているときにも赤を求めたくなる。

また、本当は赤が好きなのだけど、赤い小物や赤い服に手が出ない人もいる。そこまで情熱家ではない赤好きの予備軍である。赤の注目度が高いばかりに、そこまでの注目を浴びたくないと思っているのかもしれない。彼らは知的で理性的な人たちであり、行動力にあこがれている。そんな人が一度、赤に魅了されるとたいへんである。突然、赤の服ばかり身につけるようになったり、ビビットな赤いルージュをひいたりする。赤はちょっと自信のない人の心を魅了し、表舞台に立たせるのが得意な色である。

赤が嫌いな人

赤を嫌う人は、欲求不満の人が多い。自分の夢が途中で挫折したり、やっていた仕事を自分の気持ちに反してできなかったりすると、人は赤を拒絶することがある。これは行動力の象徴である赤を見ると、動けなかった自分との感情の中でバランスがとれなくなるからかもしれない。

赤が好きな人へのアドバイス

悪い部分では気持ちの移り変わりが激しいことと、たまに礼節を忘れてしまうことがある。そんな場合は、もう少し淡い赤や落ち着いた赤を好むようにしたい。赤の使いすぎは、体にもあまりよくない。赤の面積比率を工夫するのも効果的だ。ワンポイントの赤は人の目を引き、とてもオシャレに見える。

赤が好きな人は
スタ
スタ
活動的である
情熱的で正義感も強い
カメをいじめちゃダメだよ
でも少々わがままで自分勝手な人もいる
もうやーめた
よくも悪くも人間らしく生きている
やっぱりがんばろうー
いや
楽天的でもあるし…

赤の心理効果／赤のエピソード①
～命の象徴であり、人間にとって特別な色～

赤は、有彩色の中で人類が最初に使った色ではないかといわれている。確かに、遺跡や壁画は赤で描かれているものが中心だ。赤は生命力の象徴であり、人の感情や情熱も赤で表すことが多い。人にとって必要不可欠な血液も赤い色をしている。人間は赤に対して、もっとも高い反応を示す。床に落ちた赤い液体を見ると、なぜか「血」と思い、瞬時にドキッと体が反応を示してしまう。感情を象徴するためか、「怒り」を赤で表すこともある。

赤を特別なものとして扱う民族は多い。中国では、幸福や太陽を表すため赤をよく使う。アメリカ・インディアンにとって赤は勝利の印だった。日本を含めて赤をシンボルとして使い、国旗に使う国は多い。日本では慶事には紅白の幕を使い、紅白まんじゅうを配る。そしてお祝いには赤飯を炊く。

「赤の他人」は赤い色をしているのか？

なにも関係のない人を、「赤の他人」という。この「赤」とはどういう意味なのだろうか。諸説があるが、「明らかな」という意味が「赤」に転じたという説がもっとも濃厚だ。ちなみに赤の語源は「明」から来ている（黒は「暗」から）。特に色を意識したわけではなく、韻を踏んだ日本語の文化の1つのようだ。「真っ赤な嘘」も同じような意味で使われる。本来、赤には「明らかな」「まったくの」といった意味はない。意味から考えれば「白の他人」だ。しかし、赤が持つインパクトのある色の強さが、強調語として向いていたと思われる。「桃色の他人」「萌葱色《もえぎいろ》の他人」では、確かにちょっと弱い。微妙に知っている人かもしれない。

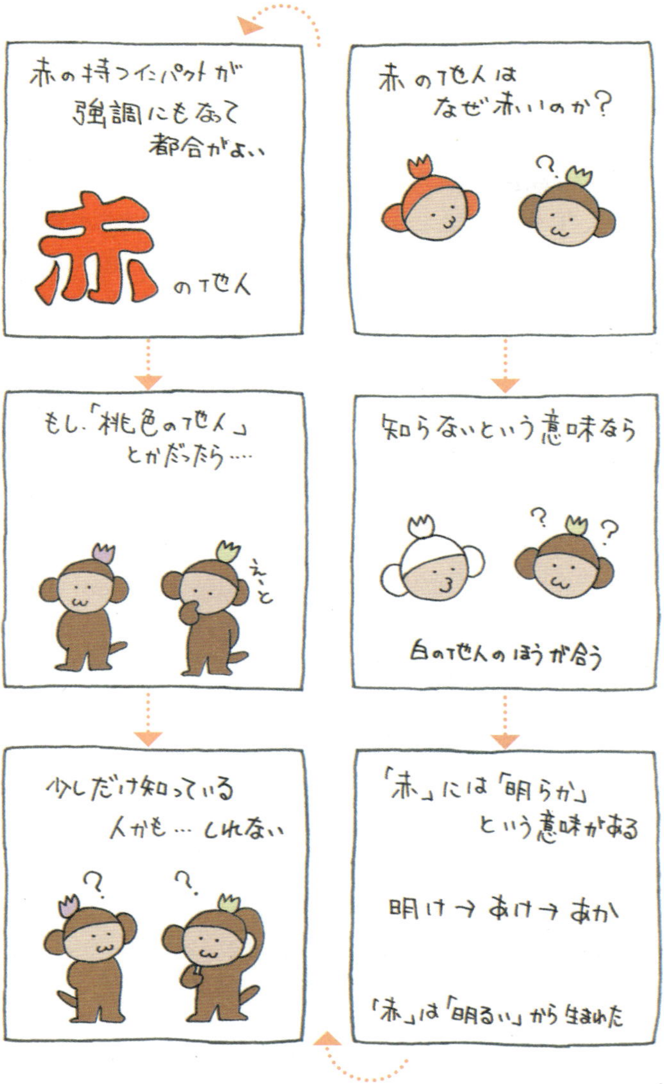
赤の他人は
なぜ赤いのか？
知らないという意味なら
白の他人のほうが合う
「赤」には「明らか」
という意味がある
明け→あけ→あか
「赤」は「明るい」から生まれた
赤の持つインパクトが
強調にもなって
都合がよい
赤の他人
もし「桃色の他人」
とかだったら…
えーと
少しだけ知っている
人かも…しれない

赤の心理効果／赤のエピソード②

赤は人間の運動能力、闘争心を引き上げる

赤には、人間の運動能力や闘争心を高める効果があるようだ。イギリスのダーラム大学の研究結果によると、ボクシングやテコンドー、レスリングなどの競技で赤と青の競技服と勝率の統計を取ったところ、明らかに赤が勝つ傾向があると発表した。実力が同じなら赤い服を着ていると勝率が上がる。赤は膨張色でもあり、威圧感を与えて、相手の闘争心を下げる効果もあると考えられる。

なぜ赤は男性の色にならなかったのか？

炎や力の象徴ともされる赤だが、男性の色ではなく、女性の色として一般的に使われている。男性は青か黒であり、女性は赤。本来の力強いイメージから考えれば、赤が男性の色になってもよい。これはなぜか？ 古くは西欧文化の慣習に、男女の色分けが見られる。ただ、当時から赤は女性の色かといえばそうでもない。ヨーロッパでは青はマリアの属性色とされ、美しい女性の象徴でもある。これは推測だが、現代では子供のころから便宜的に、男性は青か黒、女性は赤という環境にさらされる。日本人ならランドセルやトイレのマークなどあらゆる場面で登場する。親からも男の子は青と青いものを与えられる。その結果、赤は女性の色という固定概念が、必要以上にできあがってしまうのではないだろうか？ 現に赤を男性の色として使っても違和感はない。変な話だが、戦隊ヒーローものの男性リーダーは赤。赤いフェラーリは、ワイルドな男によく似合う。赤は男性の色、青は女性の色にもなりえるのではないだろうか。マークとして男女を色で分けるのは便利であるが、固定観念を作ってしまうのはあまり好ましくない。

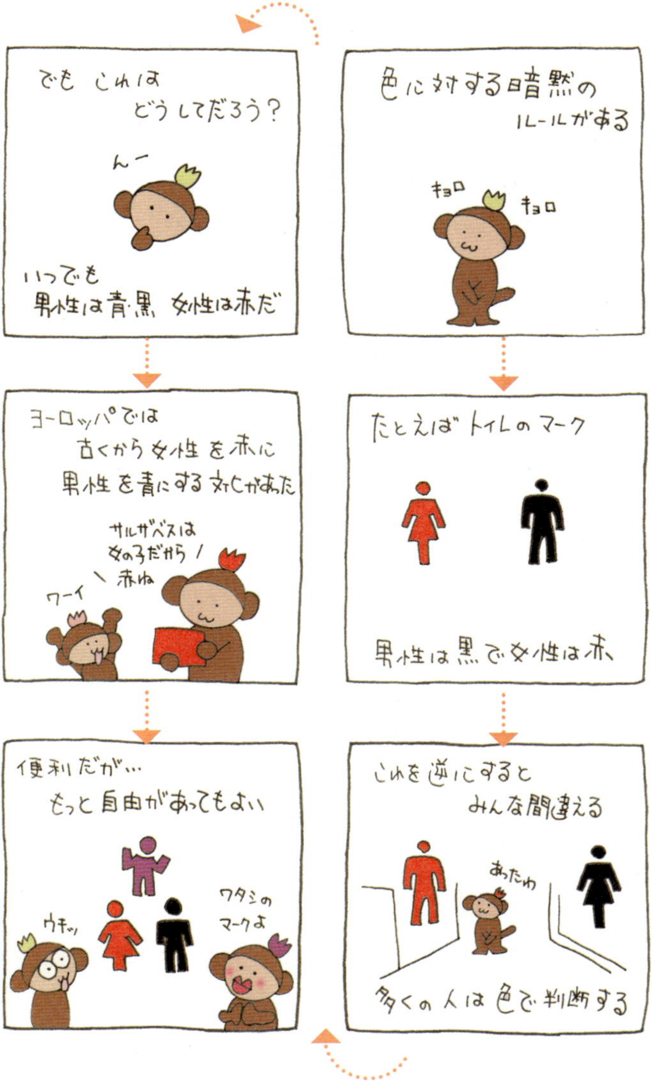

色に対する暗黙のルールがある
キョロ
キョロ
たとえばトイレのマーク
男性は黒で女性は赤
これを逆にすると
みんな間違える
あったわ
多くの人は色で判断する
でも これは
どうしてだろう?
んー
いつでも
男性は青・黒 女性は赤だ
ヨーロッパでは
古くから女性を赤に
男性を青にする文化があった
サルザベスは
女の子だから
赤ね
ワーイ
便利だが…
もっと自由があってもよい
ウキッ
ワタシの
マークよ

赤の心理効果／赤のエピソード③

赤子はなんで赤いのか？

生まれたての子供を「赤子」「赤ちゃん」と呼ぶ。生まれたばかりの新生児の皮膚は薄く、ヘモグロビンが多いので赤く見えるところからこの名がついた。3才ぐらいまでの子供を「みどりご」と呼ぶのは、新芽のようなみずみずしさを表現してそう呼んでいるようだ。色彩感覚が豊かな日本人らしい表現である。

不思議な赤い石の効果

ルビーやガーネット、ブラッドストーン、レッドジャスパーなどの赤い宝石には、古代から不思議な効果があると信じられている。また赤い石は薬としても使われてきた。赤は疫病や火災から身を守り、天然痘やペストの治療薬としても活用された。止血剤などの効果を持つものも多い。古代の人々は赤の中に生命の輝きを感じ、生命を取り戻す力を得ていたのかもしれない。

郵便ポストはなぜ赤い？

日本で最初のポストは明治4年。脚付きの台に四角い箱を載せた木製ポストは、「書状集箱」「集信箱」などと呼ばれていた。翌年、郵便が全国に実施されたことを受け、ポストのニーズが増え、四角くて筒状の黒いポストが誕生した。その後、明治34年に鉄製の赤色丸型ポストが考案され、赤いポストが誕生。ポストを「赤色」に塗ったのはイギリスの事例を参考に、ポストの位置をわかりやすくするためであり、目立つ色だったからである。黒いポストは夕暮れになると目立たないという苦情もあったようだ。ちなみにアメリカのポストは青く、フランスのポストは黄色となっている。

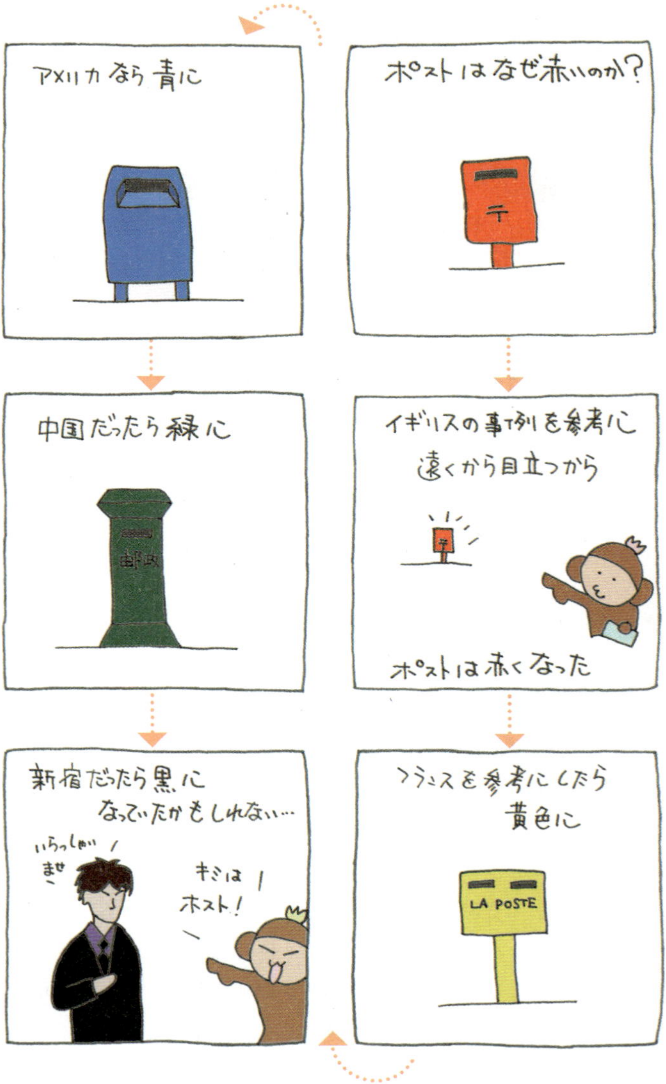
ポストはなぜ赤いのか?
イギリスの事例を参考に
遠くから目立つから
ポストは赤くなった
フランスを参考にしたら
黄色に
LA POSTE
アメリカなら青に
中国だったら緑に
郵政
新宿だったら黒に
なっていたかもしれない…
いらっしゃいませ
キミは
ホスト!

赤の心理効果／赤のエピソード④

紅一点の「紅」とは？

紅一点という言葉をよく聞く。多くの男性の中に女性が1人だけいる意味で用いられる言葉だ。この紅とは女性のことだと思われるだろうが、その由来はちょっと違う。中国の王安石の詩『詠柘榴』にある、緑の草原に一輪のザクロの紅い花が咲き、春の景色はたったこれだけのことで人を感動させてしまうということをうたった句からきているのだ。ただ、日本ではたくさんある中で1つだけ異彩を放つものの意味として用いられ、特に女性を表すものではなかった。ところが美しさを女性にたとえるようになったためか、男性の中に交じる唯一の女性の意味で用いられるようになったのだ。このように言葉の意味が途中で変わることは、日本ではよく起こる。

サンタクロースはなぜ赤い？

白いヒゲを蓄え、白い縁取りの真っ赤な服を着たサンタクロースは、クリスマスになくてはならないキャラクターだ。このサンタクロースの原形になったのは聖ニコラスという聖人で、12月に子供たちにプレゼントを配っていたといわれている。その後、サンタクロースは彼をモデルに生まれたようだが、サンタクロースの服装に、統一性はなかった。資料によると青い服を着たサンタもいた。そして1931年、コカ・コーラ社が宣伝に用いるために、この聖ニコラスの司祭服をベースに、自社のイメージカラーを重ねて赤い服を着せたものが、サンタクロースのイメージとして広まったとされている。夢のある物語の中に、プロモーションという大人の世界の香りが少々。子供には内緒にしておきたい。

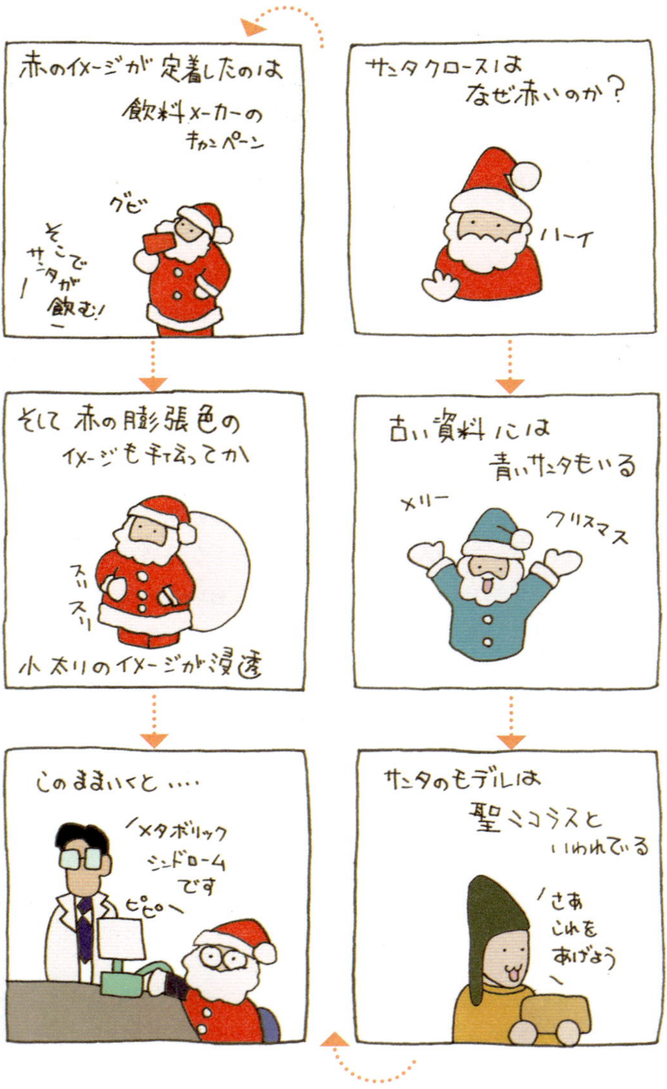
サンタクロースは
なぜ赤いのか？
ハーイ
古い資料には
青いサンタもいる
メリー
クリスマス
サンタのモデルは
聖ニコラスと
いわれている
さあ
これを
あげよう
赤のイメージが定着したのは
飲料メーカーの
キャンペーン
グビ
そこでサンタが飲む！
そして赤の膨張色の
イメージも手伝ってか
スリスリ
小太りのイメージが浸透
このままいくと……
メタボリック
シンドローム
です
ピピー

ピンクが好きな人の基本性格

～穏和でやさしい性格の人。裕福な家庭に育った人に好まれる～

ピンクが好きな人

ピンクは知的教養度が高く、裕福な家庭に育った人に好まれる傾向がある。ピンクを好む人の多くは穏やかで平和主義者のことが多い。中でも淡くてやさしい色が好きな人は、上品で気配りに長けた人。濃い色にひかれる人は赤に近く、活動的で情熱的な一面もある。

ピンクはやさしい色なので、女性に好まれる傾向がある。穏和でやさしい性格の人が多く、傷つきやすい繊細な人もいる。1人でいるといろいろと空想を楽しみ、すてきな結婚や恋愛を夢見ていることも多い。ピンクが好きな男性もやさしい性格の持ち主であり、心の広いタイプの人が多い。デリケートな性格だが、よりデリケートに見てもらいたいと願っている人もいる。また、いろいろなものに興味はあるが、自分から探し求める行動力まではないようだ。他人に依存する傾向もある。

特徴的なのは特にピンクを好きでもないのに、急にピンクが気になることがある。こういった人は男性の目を自分に向けたいために、やさしさをアピールするために意識的、でも無意識にでもピンクを手に取ってしまう。ピンクは恋の色。恋をするとピンクにひかれる傾向があるようだ。

ピンクが嫌いな人

ピンクは、生活環境に苦しんできた人に嫌われる傾向がある。まじめで努力家の人もピンクを受け入れにくい。仕事を一番に考えている人や、黒や紺といった色を好む人にも嫌われる。ピンクの持つ甘さに抵抗を持つ人も少なくない。

ピンクが好きな人へのアドバイス

ピンクを好きな人の中には読書や絵画が好きな人が多い。そしてこれらに影響を受け、自分の中から出てくる「なにかしたい」という気持ちがあっても、なかなか行動できない人が多いのではないだろうか？ そんな人は赤を身に着けるとよい。ワンポイントやアクセントでもよい。きっと、赤の持つパワーがあなたの行動をあと押ししてくれるはずだ。

ピンクが好きな人は
裕福な家庭で育ち
やさしい性格の人が多く
空想家の人も多い
アハハハ
コイツノ
もうダーリュたら
ハハハ
素敵な結婚に憧れている

ピンクの心理効果／ピンクのエピソード
～精神的にも肉体的にも若々しさを得る色～

ピンクはやさしさの象徴であり、かれんな女性を表現する色として使われる。淡いピンクはやさしい温もりを感じ、見ているだけで幸せな気持ちにさせてくれる。日本人はピンクから桜をイメージすることもあり、多くの人に好まれる色でもある。仕事でイライラしたときなどはピンクを見ると心が落ち着く。攻撃的感情をやさしく包んでくれる効果があるのだ。膨張色であり体のラインが細い人が着るとふっくらと見せることができる。

ピンクはその甘さから女性的なものに抵抗がある人から嫌われる。キャリアウーマンなどは、ピンクを拒絶する傾向にある。しかしピンクをうまく使えば、特に女性にはメリットが大きい。

ピンクは若返りの薬

ピンクは内分泌系を活性化し、若返りを促進させる効果がある。精神的にも肌のツヤなど肉体的にも若々しくなる。ピンクのシャツや下着を着けて、明度の高いピンクを取り入れた部屋で生活するだけでよい。また、白系の部屋も美人を作るといわれている。淡いピンクや白い色は、女性の身体的活動を促す。適度な運動が加わればさらに美しくなる。

ピンクはリラックスの色

ピンクにはリラックス効果もある。性格を穏やかにし、筋肉を弛緩《しかん》させる効果があるのだ。ピンクを取り入れた部屋で生活すると癒し効果が期待できる。ただし、過度にピンクを使うと逆効果であり、バランスよく生活にピンクを取り入れるのがポイントだ。

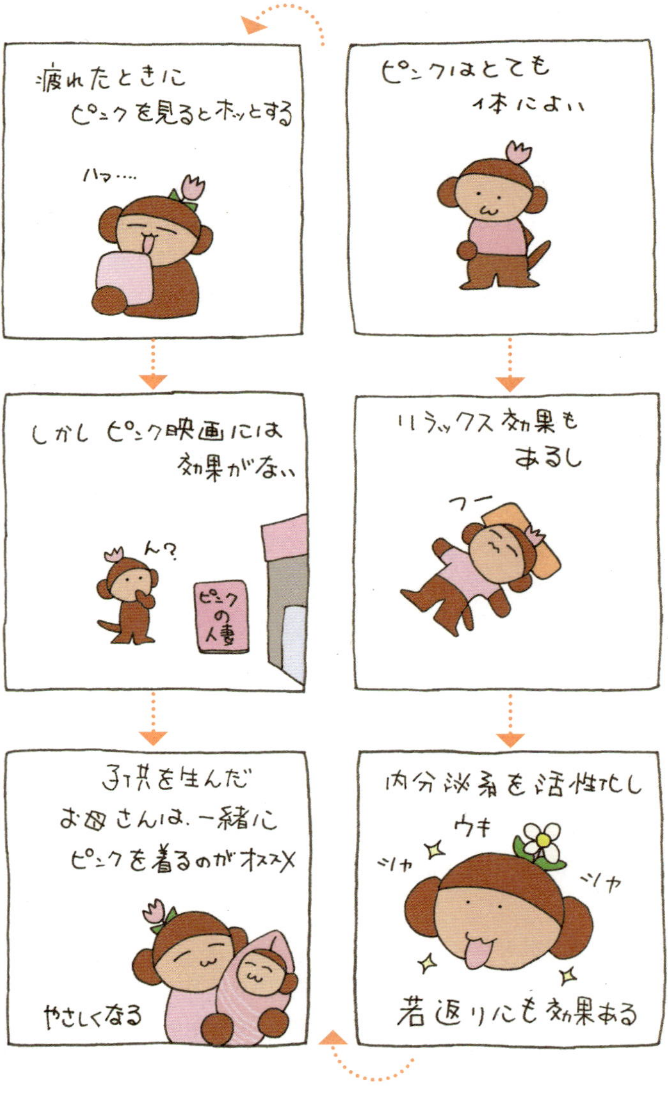
ピンクはとても
体によい
リラックス効果も
あるし
フー
内分泌系を活性化し
ウキ
ツヤ
ツヤ
若返りにも効果ある
疲れたときに
ピンクを見るとホッとする
ハァ….
しかし ピンク映画には
効果がない
ん?
ピンクの人妻
子供を生んだ
お母さんは、一緒に
ピンクを着るのがオススメ
やさしくなる

青が好きな人の基本性格
～礼儀正しく謙虚な人が多い。調和や協調性を大事にする～

青が好きな人

青を好む人は、グループの調和や協調を好む調整派の人が多い。礼儀正しく謙虚な人も多く、衝動的に動く人よりも計画的に動く人が好む傾向にあり、慎重派でまじめで規律を守る傾向にある。つまり、平和主義者が青を好む傾向にあるようだ。

スカイブルーやアクアブルーなどの明るい青が好きな人は、感性が豊かで自分の考えていることを自由に表現するのがうまい。社交的ではないかわりに、なにかをとおして世の中とかかわろうとする。紺などの濃い青は、知性的で人の上に立つ人に好まれる。起業家や教育者も濃い青を好み、逆にいえば、濃い青が好きな人は起業家や教育者にも向いている。女性は自立心が強く、仕事に生きがいを感じている人が多い。

なお、青が好きな人の悪い面は頑固なところがあり、自分の考えがいつも正しいと思っているところがある。後輩や弱い相手にはとてもやさしく接するが、強い相手や上司には萎縮して自分の意見が通せない。戦うことを嫌う性格が悪いほうに出てしまうことも多い。青が好きな人が多いのは、青という色が広範囲で数多く存在していることもあると思われる。青の色目によっても性格は微妙に異なってくる。

青が嫌いな人

青を嫌うのは少数派であり、基本的に青は多くの人に受け入れられる。それでも青が好きでない人は、大きな失敗をして、苦い人生を歩んでいる人かもしれない。人生に疲れ追い込まれた経験がある人は、青を拒絶する傾向が見られる。

青が好きな人へのアドバイス

青は直感力や決断力、探求心などを刺激する色。仕事などに効率よく使うと自分の潜在能力をうまく引き出してくれる。調和の色なので、仲間や上司、部下から協力をもらいたいときに青の服を着るのも効果的である。ただし元気がないときに青を着るのは要注意。余計に落ち込むことがある。

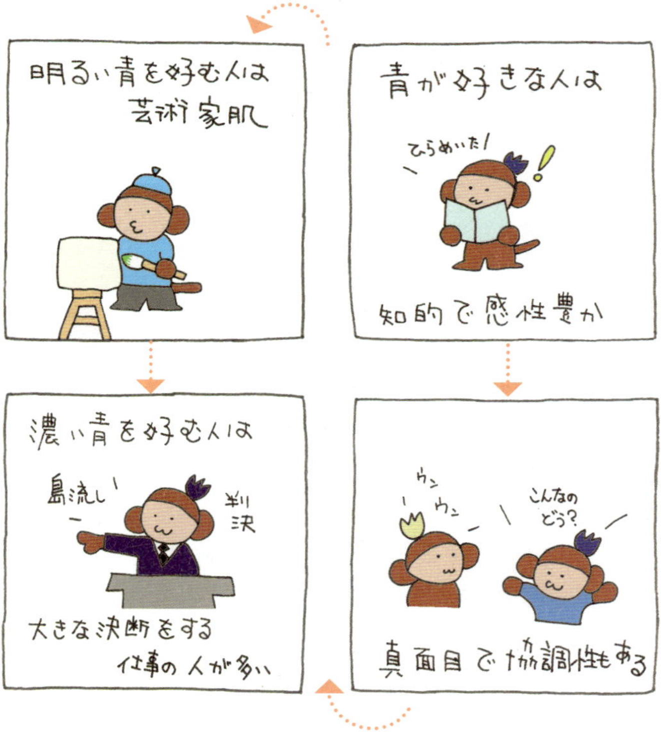
青が好きな人は
ひらめいた！
知的で感性豊か
明るい青を好む人は
芸術家肌
濃い青を好む人は
島流し
判決
大きな決断をする
仕事の人が多い
ウン
ウン
こんなの
どう？
真面目で協調性もある

青の心理効果／青のエピソード①
～多くの人に好まれる色。鎮静効果もある～

青は世界的に見て、もっとも好まれる色である。幸せを運ぶ「青い鳥」や「ヘブンリーブルー」などの言葉があり、平和や幸福の象徴として使われることが多い。イギリスでは名門のことをブルーブラッドと表現し、王室や王家の女性は「ロイヤルブルー」と呼ばれる深いブルーの衣装を着こなす。キリスト教ではマリアを象徴する色としても使われ、希望の色としても扱われる。また、若さを象徴する色でもあり、日本には「青春」という言葉がある。青には良質なイメージが多い。

ところがその一方で、青には未熟や哀しみ、哀愁などのイメージもつきまとう。「青くさい」の青は未熟という意味であるし、落ち込むと「ブルーになる」と表現し、妊婦の「マタニティー・ブルー」という言葉もある。青は寒色と呼ばれる冷たいイメージもあり、このようなマイナスイメージを持つこともある。

また、青はさまざまな心理効果を持っている。青には精神状態を落ち着かせる効果があり、人の血圧を下げる働きがあるのだ。後退色と呼ばれ、実際の位置よりもうしろにあるように見える。また、時間を短く感じるという性質も持っている。

心を安定させる色

青は人の精神状態を穏やかにする。青は血圧を下げ、呼吸をゆるやかにし、筋肉を弛緩させる働きがある。不安な状態を軽減してくれるのだ。また淡い青は気持ちを落ち着かせてくれるし、疲れを軽減してくれる効果もある。さらに、深い青は気持ちを鎮静させる効果もある。

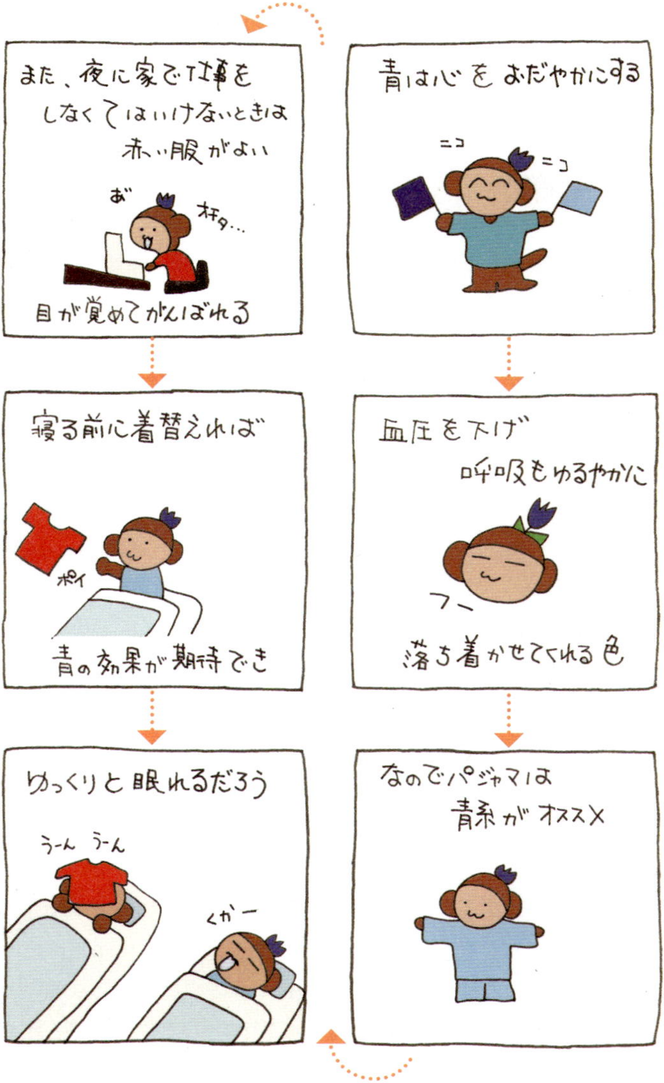
青は心をおだやかにする
ニコ
ニコ
血圧を下げ
呼吸もゆるやかに
フー
落ち着かせてくれる色
なので パジャマは
青系が オススメ
また、夜に家で仕事を
しなくてはいけないときは
赤い服がよい
あ
オキタ…
目が覚めてがんばれる
寝る前に着替えれば
ポイ
青の効果が期待でき
ゆっくりと眠れるだろう
うーん うーん
くかー

青の心理効果／青のエピソード②

信号は緑色なのに、なぜ「青」と呼ぶ？

交通に使う信号機は、国際的な取り決めで「赤・黄・緑」と決まっている。昭和5年、日本に信号機が登場したときは緑色信号と呼ばれていた。ところが、一般の人々や新聞紙面で青信号と呼ばれ、それが定着してしまったとされている。そして昭和22年には、法令でも青信号と呼ぶようになった。新しい信号は、緑から青に近い色になっているという。それは青信号なのに緑色だという苦情が多いためらしい。緑を青と呼んだ理由には諸説があるが、本来「許可」を表す緑が、より「安全」という意味を強く持つ青にスライドしたとも考えられる。子供に「なんで緑色なのに、青信号っていうの？」と聞かれた親は、少々悲劇である。

ピカソが感じた青い世界

ピカソは、作風が大きく変化した画家として有名である。彼には、描く絵が青く暗い色調に包まれていた「青の時代」と呼ばれる年代がある。友人の自殺にショックを受け、パリの貧しい生活の中で、彼は暗い青に包まれた絵を描いた。この時代に描かれた自画像は、まるで亡霊のような顔をしている。灰色がかり錆びたような青の中に、頬がこけた生命力のない顔が浮かびあがる。彼は、自分を支配する陰鬱な空気を暗い青で表現したのではないか。ピカソはその後、恋人を得て明るい色調に転じた「バラ色の時代」に入り、その後有名な「キュビズム」へと向かう。そして晩年、彼は大胆でカラフルな絵を描いている。彼がこの画風にたどり着いたのは、パリでの暗いブルーに包まれた混沌とした時代があったからこそではないか。そう、青は「未来」を表す色でもあるのだ。

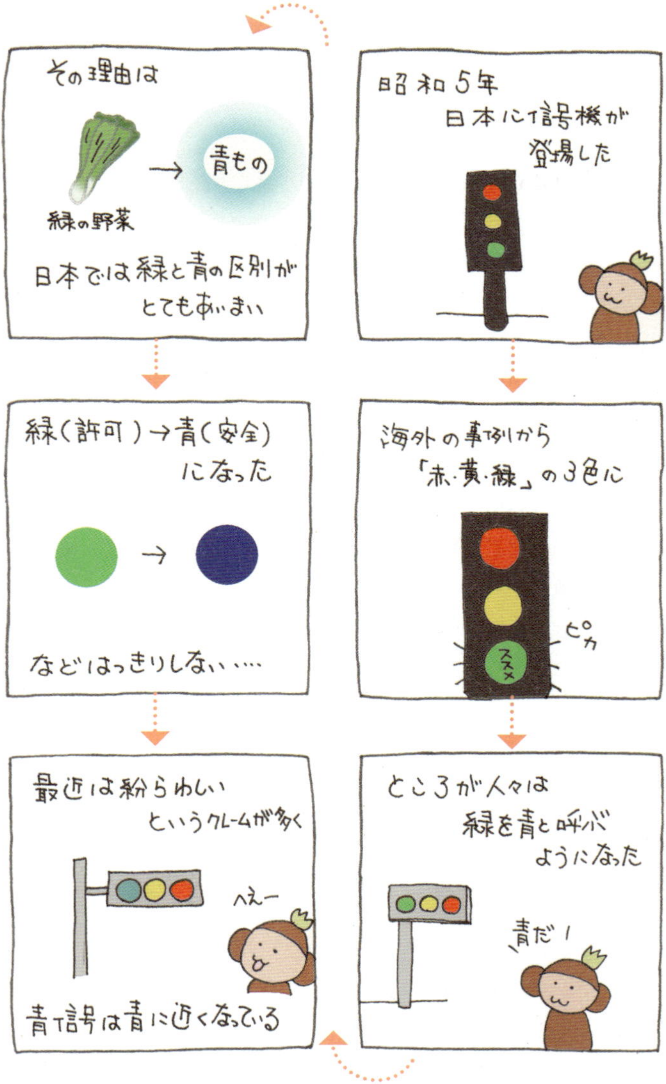
昭和5年
日本に信号機が
登場した
海外の事例から
「赤・黄・緑」の3色に
ピカ
ススメ
ところが人々は
緑を青と呼ぶ
ようになった
青だ！
その理由は
緑の野菜
青もの
日本では緑と青の区別が
とてもあいまい
緑(許可)→青(安全)
になった
などはっきりしない….
最近は紛らわしい
というクレームが多く
へえー
青信号は青に近くなっている

黄色が好きな人の基本性格
～ユーモアのセンスがあり、仕事もできる理想主義者～

黄色が好きな人

黄色を好む人は、知的で上昇志向が強く、新しいものや変わったものが大好きで、好奇心や研究心が旺盛。ひと言で表現すると「チャレンジャー」である。ユニークな性格の人も多く、周囲の人が一目置くグループの中心人物でもある。ビジネスに対しても人と異なるアイデアを持って、成功に導く才能と推進力を持っている人が多い。理想主義者でもあり、いろいろなプランを組み立てるのにも長け、実現に向けて進めていく。新しいものが大好きだが、飽きっぽく、根気に欠けている人もいる。よい意味でも悪い意味でも計算高いところがある。

黄色は子供に好まれる色で、愛情を求める色でもある。誰かに依存する傾向があり、自立心が弱い人もいる。精神的に子供っぽいところもあり、自由な行動を取りたがり、束縛されることを嫌う。目立ちたがり屋の人も多い。職業ではお笑い芸人などが向いている。しゃべりもうまい人が多いので、営業マンにも向いているようだ。

また、幸福に対しては貪欲なところがあり、幸せの形を考え、求めていることが多い。満たされない愛情を感じている人もいる。精神的に不安定なときは、黄色を見ると救われる。同じ黄色でもクリーム色のような淡い黄が好きな人は、安定していてバランス感覚にすぐれているようだ。

黄色が嫌いな人

知識や教育にコンプレックスを持っている人は、黄色を嫌う傾向にある。また、保守的で堅実な道を進んでいる人も、黄色はあまりよい色として認識しないようだ。

黄が好きな人へのアドバイス

黄が好きでも過度に使うと、いらだちや嫌悪感を引き起こす原因になる。インテリアでもファッションでも過剰に使うと悪影響が出てくるので、ワンポイントやほかの色との組み合わせで効果的に使いたい色である。短時間では集中力が増すが、使いすぎると気が散りやすくなる。

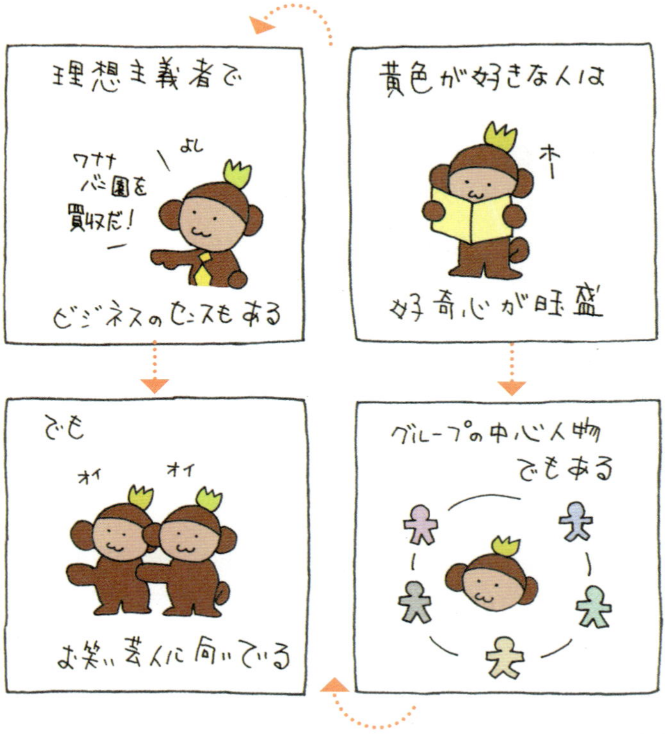

黄色の心理効果／黄のエピソード

～太陽をイメージする希望の色。国によってイメージは異なる～

黄色は「希望」「幸福」「愉快」などの良質なイメージを持つ半面、「危険」「注意」「不安」などのネガティブなイメージももつ。黄色は世界的に見ても、評価が分かれる微妙な色なのだ。インドや中国、マレーシアなどでは高貴な色として崇められるが、キリスト教圏ではユダが着ていた服として嫌われる傾向にある。イスラム教でも「死」を表す不吉なものだ。

色彩心理では視認性が高い色なので、黒と組み合わせて危険を知らせるマークや、注意を喚起するマークなどに活用されている。よく黄金の代用としても使われ、太陽の象徴としても使われる。

黄色に魅せられた画家、ゴッホ

黄色と聞いて最初に思い出す画家は、ゴッホではないだろうか。フィンセント・ファン・ゴッホは、27歳のときに画家となり、自殺という形で37歳の生涯を閉じるまで、約800点の油絵を残した。彼の作品は「ひまわり」「種蒔く人」に代表されるように、黄色に包まれた作品が多い。南フランスのアルルでは、ゴッホがユートピアを夢見て借りた家「黄色の家」で、親友のゴーギャンと共同生活をする。黄色の家も絵画も現実のインテリアも黄色で包まれていた。彼は生涯、黄色にこだわった。黄色は太陽の色であり、希望の色である。そしてそれと同時に、使いすぎると精神に悪影響をおよぼす色でもある。ゴッホは精神的に病み、そして黄色に魅了されていった画家だった。彼は黄色の中にどんな光を見いだしたのだろうか？

希望の象徴である
黄色
子供は太陽を描くとき
黄色を選ぶ
光を表現するのに
使われる色でもある
白みがかった月でも
黄色で描かれる
ウキ
月をバナナと
見まちがえたサルが
木から転落しました
サルズバ!

緑が好きな人の基本性格

～まじめで礼儀正しい平和主義者。しかし強い信念を持つ～

緑が好きな人

緑が好きな人は社会的意識が強くまじめな人。平和主義者で周囲との調和を図るが、警戒心は強い人が多いようだ。社交的で人とのつき合いも無難にこなすが、心の底で人を信用していないところがある。人もそれなりには好きだが、本当は動物や自然に囲まれて優雅な生活を送りたいと考えている。礼儀も正しく、素直であまり裏表がないようだ。自分の信念を表に出して、それに向かって進んでいく。緑を好きな人に信念を聞いてみると、多くの人が自分の信念を口にする。

また、好奇心は多いもののみずから積極的に行動していくというよりは、仲間の誰かが声をかけてくれないかと待っているタイプが多い。繊細で思慮深く、物事を見極める力を持っている。運動よりも食べ物に興味があるので、緑が好きな人は少々オーバーウエイト気味かもしれない。

同じ緑でも、黄緑やアップルグリーンのような黄色みがかった緑を好む人は、柔軟で友好的で緑を好きな人よりも社交的。行動力もあり、人間的なやさしさも持ち合わせている。一方、深緑のような落ち着いた緑を好む人は、洗練された人が多く、性格も温厚である。ひとりっ子など兄弟が少ない人も、深い緑を好む傾向にあるようだ。

緑が嫌いな人

極度の心配性やさびしがり屋の人は、緑を嫌う傾向にある。緑は、さびしさを増幅させる寒々しさを感じる。つねに群衆の中の孤独を感じているような人も緑を好きになれない。グリーンの持つ穏やかさに反発する人もいる。

緑が好きな人へのアドバイス

人は過労が重なると神経衰弱の初期症状が表れ、将来に対する不安に襲われることが多いようだ。優柔不断なときや、明確な判断が必要な場合は、グリーン系の服を着るのがよい。将来に対して不安に感じるときは、オレンジや黄色の小物を持つことで、不安を中和できる。

緑が好きな人は
まーまー
まぁ
調和を図る平和主義者
礼儀正しく
素直である
お世話になってます
体を動かすことより
おいしいものが大好き
だから オーバーウェイト気味
ウーッ

緑の心理効果／緑のエピソード①

～平和と自然の色。鎮静作用や鎮痛効果もあるといわれる～

緑は大自然や平和の色。青や赤と同様に多くの人に好まれる。安らぎや穏やかさの象徴であり、見ていると実際も目を休める効果がある。イスラム教ではグリーンは、高潔や神聖なものとして扱われ、キリスト教では永遠に続く愛や命を表している。

緑は神経系統の鎮静作用や鎮痛効果があり、ストレスを軽減してくれるカラーである。現代では緑は医学や薬学のシンボルにもなっている。

緑は暖色と寒色の中心に位置するために強い心理効果を持たない。緑でも青緑に近くなると、少々、寒色系の働きを持つようになる。

絵の具はなんでビリジアン？

難しい名前なのにみんな知っている緑のビリジアンは、絵の具で使われている色。このビリジアンは1800年代にフランスで発見された顔料で、ラテン語で「緑の成長」を表している。ビリジアンは緑よりも深い緑色である。絵の具に使用する色はJISという日本工業規格で決められている。こんなややこしい色を絵の具の色として採用したのは、そのすぐれた発色性と混色性によるためだ。ビリジアンは緑より自然に存在している緑に近い色を表現できるし、黄緑を混ぜると緑が簡単に作れるなど、絵の具として都合よい性質を持つ。ただ、赤・青・黄・黒と並ぶ絵の具の中で、緑だけが「ビリジアン」。そのことに説明がないのは、きっと子供の想像力を試しているに違いない。そう信じている。

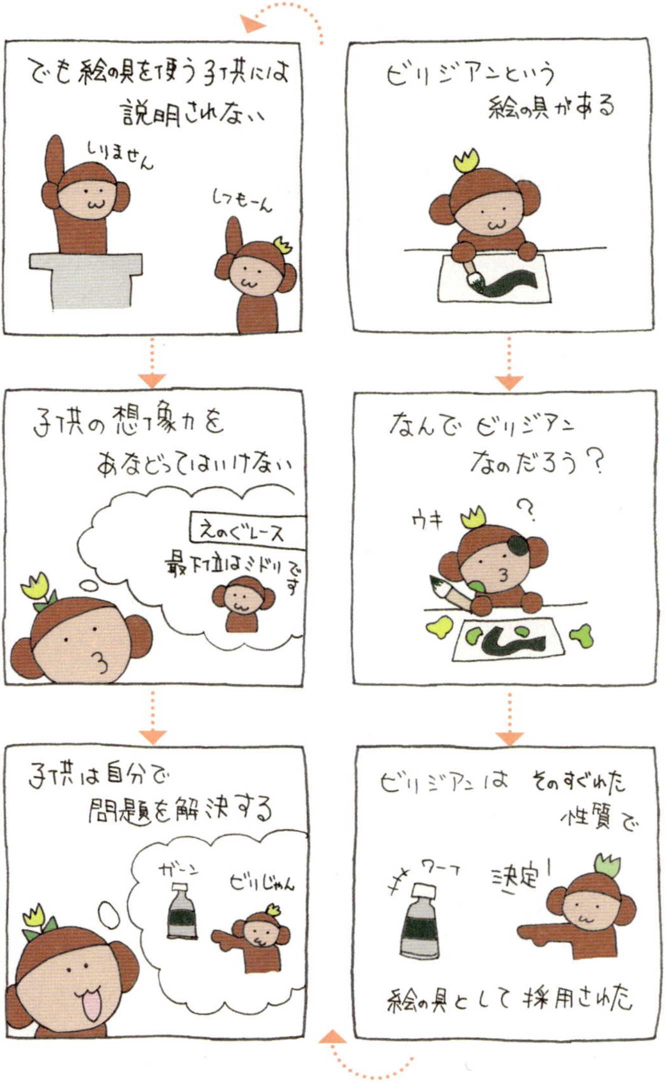
ビリジアンという
絵の具がある
なんでビリジアン
なのだろう？
ウキ
？
ビリジアンは そのすぐれた
性質で
ワーァ
決定！
絵の具として採用された
でも絵の具を使う子供には
説明されない
しりません
しつもーん
子供の想像力を
あなどってはいけない
えのぐレース
最下位はミドリです
子供は自分で
問題を解決する
ガーン
ビリじゃん

緑の心理効果／緑のエピソード②

ドル紙幣はどうして緑なのか？

世界の紙幣は米ドルに代表されるように緑色が多い。昔の紙幣は現在のような安定感はなく、いつ紙に変わるか危険な存在だった。このため緑を使い、精神的に安定感や安心感を狙ったのではないだろうか(あるヨーロッパの研究者は不安定な情勢なので、紙幣は不安定な色彩の緑にしたという説を唱えているが、不安定なものを不安定な色にするメリットはないので、この考え方には著者は否定的な見解である)。日本の紙幣の色も落ち着いたカラーをしている。世界には鮮やかな色をした紙幣もあるが、紙幣が欲望をかき立てるような色をしていたら犯罪率が増加してしまうのではないだろうか？ やはり紙幣は落ち着いたカラーがよい。キリスト教で緑は永遠の存在であり、永遠の愛を表すもの。緑の紙幣にはそんな願いもあると信じたい。

緑を見るとお金持ちになる？

緑には、人間の持っている欲望を満たしてくれる働きがあるといわれている。緑には願いや思いを形にしてくれる力があるので、願いや夢がある人は緑を見るのがよい。また、ジェードグリーンのような冴えた青緑には、幸運や金運の運気を向上させる力があるようだ。また、資金が集まる色とも呼ばれている。そういえば、日本の中央競馬を運営する特殊法人のカラーも緑である。緑は癒しや安心など心を穏やかにする力とともに、成功や金運を呼び込む力も持っている。もしかしたら、緑を見ているとお金持ちになるかもしれない？

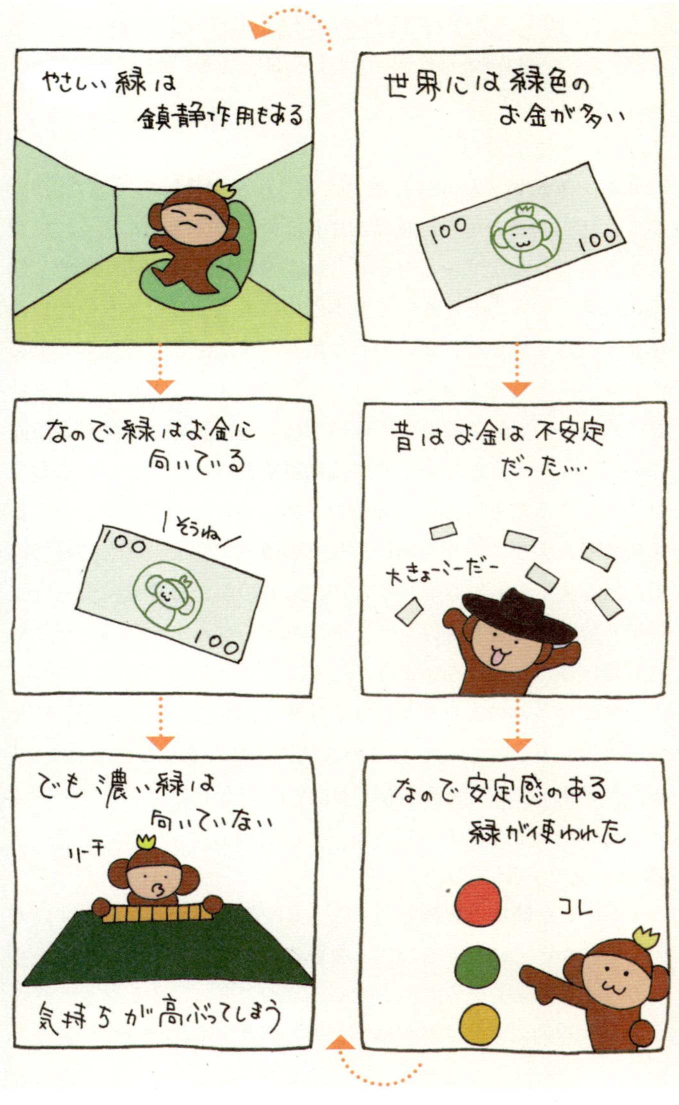
世界には緑色のお金が多い
100
100
昔はお金は不安定だった…
大きょーふーだー
なので安定感のある緑が使われた
コレ
やさしい緑は鎮静作用もある
なので緑はお金に向いてる
100
100
そうね
でも濃い緑は向いていない
リーチ
気持ちが高ぶってしまう

オレンジ(橙)が好きな人の基本性格
～競争心が強く負けず嫌い、喜怒哀楽が激しい行動派～

オレンジが好きな人

オレンジが好きな人は行動力があり、元気の持ち主。ただし、本人は活動的だという自覚はあまりない。頭の回転が速く、社交的で大勢で行動をすることを好む。結婚に対して願望が薄く、結婚に縁がない人たちが多い。基本的には人見知りをしない開放的精神を持っているのだが、中にはオレンジが好きでも社交的でない人もいる。ただ、誰とでも同じように接することができるタイプの人が多い。競争心が強く負けず嫌い、喜怒哀楽が激しい傾向にある。相手を支配しようとする欲望も強く、一度思ったことを貫こうとする意志は強い。集中力もあるので、効率的にものごとを進める。デザインや色彩に対しても敏感で、センスも持っている。話をするのも好きなほうだが、大勢の前だと自分にむりを強いてまで、場を盛りあげようと無理をするようだ。なお、行動や言動ほど体は丈夫でないようだ。

職業では多くの人を相手にする仕事に向いていて、販売員やサービス業、営業、女性ならスチュワーデスのような仕事がよい。また、デザイナーや建築家なども向いている。

オレンジが嫌いな人

オレンジが嫌いな人は、引きこもりや鬱な状態になりやすい人かもしれない。いろいろなことをやるが突然嫌になり、なにもしたくなくなる人もそうである。不思議なことに、オレンジが好きな人も一時的にオレンジが嫌いな人と同じような状態になることがある。でも、そんなときは社交的であることが幸いし、きっと友達が助けてくれるはずだ。

オレンジが好きな人へのアドバイス

　ちょっと落ち込んだときでも好きなオレンジの服を着れば、気持ちがリセットされ笑顔が出てくるだろう。欲求不満を感じる場合は、ピーチなどやさしい色相のオレンジの服を着るのがよい。気分が高揚しているときは、ワンポイントで赤や黄色を使ってみると、意外と気分が安定してくる。

オレンジの心理効果／オレンジのエピソード
～活動的で歓喜の色。にぎやかで楽しさの象徴でもある～

オレンジは果物の名前がついているように、親しみやすい色である。活動的な要素もあり、陽気で歓喜の色。にぎやかで楽しく、カジュアルなイメージを持つ色でもある。ハロウィンの象徴色としても有名だ。古くはミカン科の常緑低木である橙（だいだい）から橙色と呼ばれていた。タイやインド、ミャンマー、ネパールなどの僧侶は、オレンジ色の法衣を身に着ける。この法衣の色は奉仕と至福、愛を表しているという。ちなみに、2日酔いのときにオレンジの服を着てはいけない。症状が悪化するといわれている。

トンネルの電灯がオレンジの理由

高速道路などのトンネルでは、オレンジ色の電灯が使われている。前の車を見る目には、白光色や青色の照明よりもオレンジ色の光が遠くまで届くとされているからだ。このオレンジ色の正体は「ナトリウム灯」といわれるもの。オレンジ色は、埃やガスなどの障害物があっても遠くを見渡せるという特徴がある。さらに暖色なので、睡眠を誘発することも少ない。トンネルに眠りに誘う色を使うのは好ましくない。つまりオレンジの照明は、安全性にとても役立つのだ。ただし1つデメリットがある。それは時間を長く感じるということだ。思ったよりもトンネルが長くイライラしたことがあるだろう。これは暖色の、時間を長く感じさせる特徴だ。この仕組みを知ったら、逆に時間の長さを楽しむぐらいの余裕ある運転が好ましい。

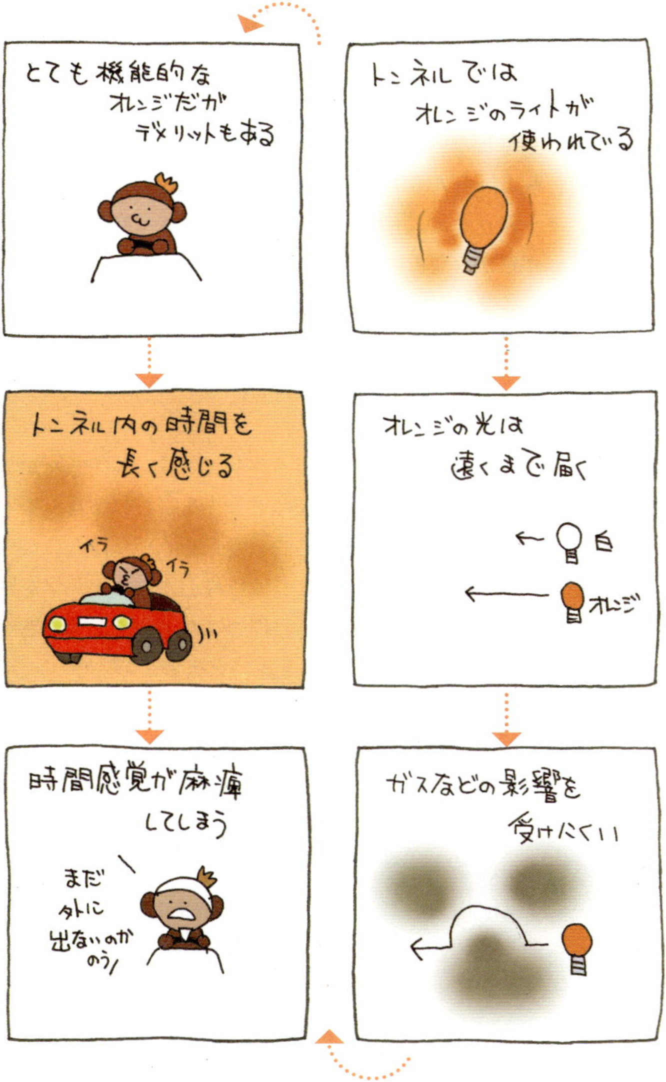
トンネルでは
オレンジのライトが
使われている
オレンジの光は
遠くまで届く
白
オレンジ
ガスなどの影響を
受けにくい
とても機能的な
オレンジだが
デメリットもある
トンネル内の時間を
長く感じる
イラ
イラ
時間感覚が麻痺
してしまう
まだ
外に
出ないのか
のう！

そのほかの色の基本性格

紫

紫はとても難しい色だ。行動的な赤と冷静な青を混ぜて作るだけあって、紫を好む人も実に複雑。高貴と下品のイメージを同時に持ち、どう使うかによって大きく変化する。紫を好む人は、一般的に感性が豊かな芸術家に多く見られ、他人をあまり信用しない人が多い。また紫を好む人は、紫の高貴さに引かれていることが多い。自分も高貴に見られたいという願望が強い人である。

ワインレッド

やや紫がかった強みのある赤のワインレッドは、外向的だが気難しい人に好まれる傾向がある。情熱的な赤を好むほど真っすぐな性格でなく、やや神秘的で個性的な人か、そういった人になりたいと思っている人である。ほんとうは紫に引かれるが、紫を好きと思う自分を否定することがある。理想家だが理想を実現させる行動力に欠けている。よい意味でも悪い意味でも女性的であり、感情的でやさしい心を持っている人が多い。

藤色

藤色は平安時代から浅い青紫を指す言葉として使われ、多くの歌人が愛した上品な色彩だ。藤色を好む人は繊細ですぐれた感性を持つ。創造の色ともいわれ、見ていると創造力がわいてくる。感覚派の人、デザイナーや音楽家に好まれる。性格的にほめられて伸びる人が多い。また、青が好きだった人や紫が好きだった人が次第に藤色を好きになることもある。

茶色

茶色は責任感が強く安定感のある落ち着いた性格の人に好まれるようだ。あまりおしゃべりではなく、表現力がある方ではないが、人が嫌いというわけではない。目立つような存在ではないが、いないとなにかもの足りないような味のある人物で、誰からも好かれている人が多いようだ。

好きな色と性格の関係、好きな色はつねに変化する
～次第に変化する好みの色～

幼児のうちは男女に関係なく、黄色やピンク、白といった色に反応するが、年を重ねるうちに色の好みには個人差が出てくる。中学生ぐらいになると色の好みは完全に分かれ、次第に多彩になってくるのだ。また色の好みは、環境や性格の変化でどんどん変わる。社会人になってからも色の好みは変化する。

たとえば黒しか着なかったキャリアウーマンが結婚して子供を産み、子供に淡い色の服を着せているうちに、やさしい色が好きになり、性格もやさしく穏和になったという例がある。学生のころにブルーが好きだったおとなしい人が、社会人になって1人暮らしをしてから、自由になって赤やオレンジが好きになったという例もある。色の好みは環境の変化や性格の変化が大きい。

一般的には、青→緑→藤色のような寒色系の移行パターンや、赤→オレンジ→黄色のような暖色系の移行パターンが多い。ところが、突然赤から青へ移行したり、緑からオレンジが好きになることもめずらしくない。性格が正反対に変化したというよりも、変化を求める心の自然な行動かもしれない。

また、色と性格の関係を難しくしていることに、複数の色に引かれていて複合的な効力を持つ場合や、本当は別の色が好きなのに違う色を好んでいるフリをしてしまうことがある。そんなことを考えながら自分の性格と好きな色を考えて、もう一度別の色のページを見てみるのもおもしろいだろう。自分の性格について新しい発見があるかもしれない。

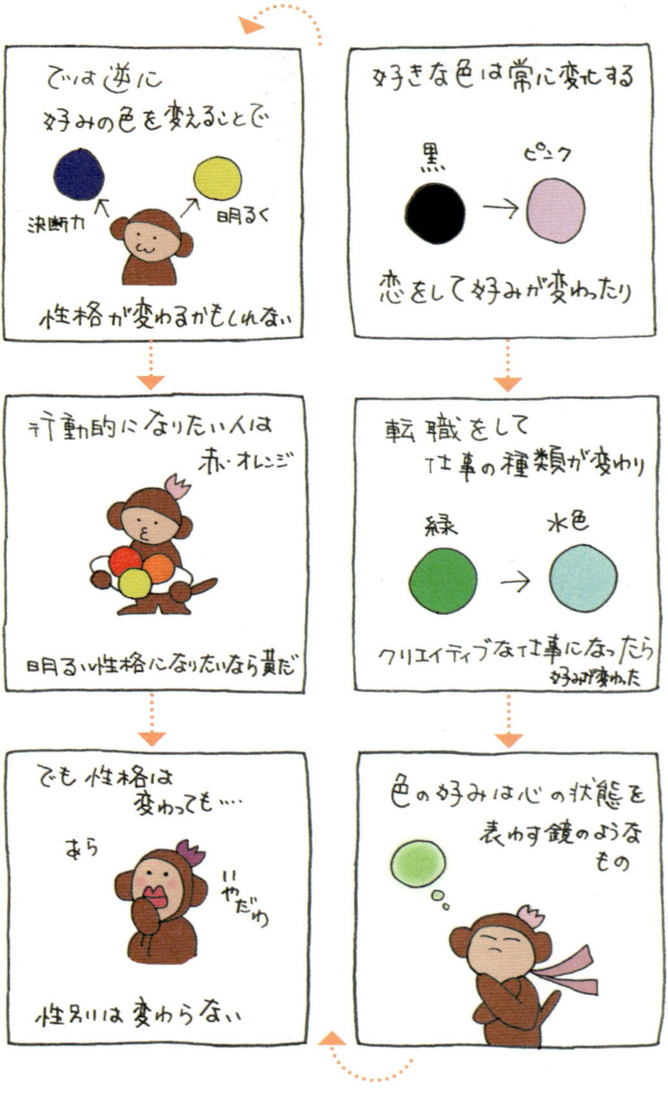
好きな色は常に変化する
黒
ピンク
恋をして好みが変わったり
転職をして
仕事の種類が変わり
緑
水色
クリエイティブな仕事になったら
好みが変わった
色の好みは心の状態を
表わす鏡のような
もの
では逆に
好みの色を変えることで
決断力
明るく
性格が変わるかもしれない
行動的になりたい人は
赤・オレンジ
明るい性格になりたいなら黄だ
でも性格は
変わっても…
あら
いやだわ
性別は変わらない

第4章

知っていると便利な色彩効果

ここでは色彩の持つ効果について、さらにくわしく解説する。さらに知っていると便利でおもしろい、色の効果を紹介。色の同化効果と対比効果、音から色を見る感覚など、不思議な色の世界にお連れしよう。

反発する色と引き立てる色
～心理補色と物理補色の強調効果～

色には、お互いの色を引き立てる補色と呼ばれる関係がある。色相環の反対側の色で、赤に対して青緑、紫に対して黄緑がそうだ。これを補色の中でも物理補色（混色補色）と呼ぶ。両方の色を混ぜると無彩色になる。この補色はさまざまな分野で見ることができる。たとえば、マグロと大葉。赤いマグロと緑の大葉は補色関係といえる。大葉の緑がマグロの赤身を引き立て、より鮮やかに見えるのだ。チラシや広告などでもこの補色関係をうまく使って文字を浮かび上がらせたり、商品を引き立てたりしている。ただ、この補色はかならずしも相手を引き立たせるとはかぎらない。使い方によっては、色が主張し合って目がチカチカするハレーション現象を起こすこともあるので、注意が必要だ。

存在する2色を比較する補色以外にも、ある色をじっと見つめていて目をそらすと色の残像が現れる。これを心理補色（残像補色）と呼ぶ。色彩学者のルイス・チェスキンは、著作の中でおもしろい心理補色の例を紹介している。ある精肉店が店内の壁を明るいクリーム色に塗り替えたところ、クリーム色の壁を見たあとに現れる青紫の残像の影響で肉の鮮度が悪く見え、売り上げ不振になってしまったというのだ。同じ現象は、精肉店以外にも起こりえる。ちょっと厄介な例を1つ紹介しよう。たとえば手術室は、赤い血を見たときに現れる緑や青緑の残像を緩和しようと、緑色の床や術衣を使うようになった。ところが今度は、緑の床や術衣の心理補色が出現して手術をやりにくくしてしまったのだ。このためいまでは自然な色の壁や術衣になってきている。実に難しい色彩の効果である。

物理補色

色相環における反対側にある色同士の組み合せ。お互いを引き立てる効果があり、チラシなどの広告、商品パッケージなどで目を引く組み合せとして活用されている

心理補色

左側の色を十数秒ほど見つめたあとに、右側の白い部分を見ると残像が現れる

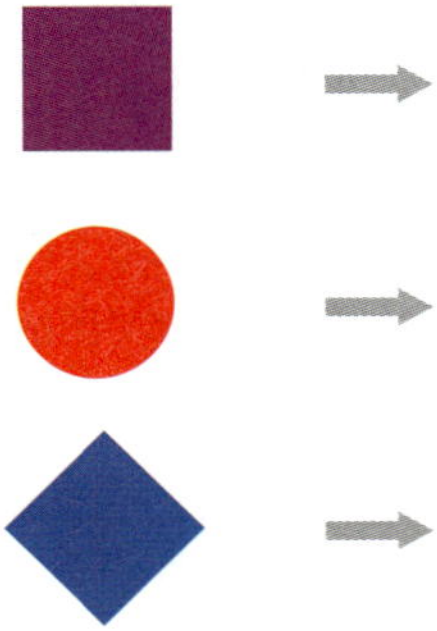

色の対比効果①
〜色の差が強調されて見え方が変わる現象〜

色は錯覚でいろいろな見え方をする。周囲にある色はお互いに影響を与え合い、影響を与えられた色は実際の色とは異なった見え方をするのだ。そして、この対比にはいくつかの種類がある。

●継時対比

ある色を見てから続けてほかの色を見ると、最初に見た色の影響で心理補色によって残像が現れる。そこにあるはずのない色が出現するため、あとに見た色が違って見えてしまうのだ。

●同時対比

これは隣接した色同士が直接影響を与える対比効果。色の差が強調され、違った色に見えてしまう。

◎色相対比

中央の橙に注目した場合、左側は黄の背景の心理補色である青紫が現れ、図柄の橙と混ざって橙は青い色相寄りに見える。右側は赤の心理補色の青緑が燈と混ざり、黄色みが増して見える。

◎明度対比

背景色の明度が、図柄より明るければその明るさに影響されて図柄が暗く見え、暗ければその暗さに影響されて図柄は明るく見える。

◎彩度対比

暗いグレイの背景に中彩度の青の図柄を配置する。彩度が低く暗い灰色の背景に影響され、中央の青は本来の彩度より高く見える。逆に彩度の高い青の背景は、中央の図柄の彩度が低く見える。

継時対比

左側の四角を十数秒見つめたあとに、目を右側の黄色に合わせると心理補色が現れ、色が重なって見える

同時対比

■色相対比

中央にある橙の色が、背景色によって変わって見える

■明度対比

中央にあるグレイの色が、背景色の明度に影響を受ける

■彩度対比

中央にある青の色が、背景色の彩度に影響を受ける

色の対比効果②
～隣接した色の境で起きる不思議な効果～

色と色とが接する部分に現れる対比効果を、縁辺《えんぺん》対比と呼ぶ。隣接する部分が強調され、ないはずのものが見えるというおもしろい現象をつくる。

マッハ・バンド

明度の異なる無彩色の帯を並べてみると、色と色が接する部分におもしろい現象が起きる。色が接する部分に縁辺対比が起こり、自分の色よりも高明度のものと接する部分は実際の色より暗く見え、低明度のものと接する部分は実際の色より明るく見えるのだ。

ハーマングリッド

黒い正方形を格子状に並べると、白の格子が交わった十字路のところに黒い影のようなものが見える。白は黒の影響で明度が強調されているのだが、交差している中央部分は対比効果の影響を受けないので灰色のように見える現象を生む。

エーレンシュタイン効果

縦と横に黒いラインを引き、交差する部分を抜くと、まるで白い円があるように見える。これも対比効果である縁辺対比の1つ。同じように抜き取った部分に薄いピンクのラインを引くと、ぼんやりとピンクの丸い形が広がって見える。これをネオン・カラー現象と呼ぶ。

縁辺対比

■マッハ・バンド

色が接する部分に縁辺対比が起こり、隣接する部分が明るく見える

■ハーマングリッド

白の格子が交わった十字路のところに黒い影のようなものが見える

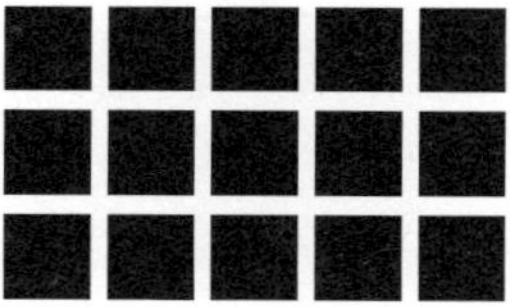

■エーレンシュタイン効果

縦と横に黒いラインを引き、交差する部分を抜くとまるで白い円があるように見える

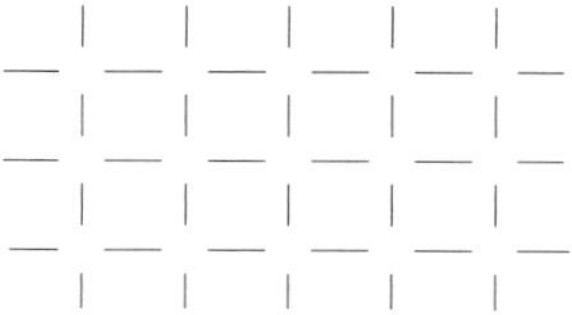

色の同化効果
～周囲の色の影響で色が同化して見える現象～

対比効果は隣接する色を強調し合う効果だが、隣接する色を近づける同化効果という現象もある。背景に対して図柄の面積が小さい（細い）場合に同化現象が起きるといわれ、面積（幅）が増えていくと対比効果へと移行する。研究結果によると、線の細さが3mm以下のときに同化現象が起こるといわれている。自分で同化と対比の境界を探すのもおもしろいだろう。

明度の同化

グレイの背景に白い細いラインを入れると、図柄の白に影響されてグレイの背景は明るく見える。逆に灰色の背景に黒い細い模様を入れると、背景のグレイは暗く見える。この現象を明度の同化と呼ぶ。図柄の面積が小さく、線が細い場合のほうが同化現象の効果は大きくなる。

色相の同化

黄色の背景に黄緑のラインを引くと、黄色の背景が青っぽく見える。オレンジのラインの背景は、赤っぽく見えてくる。明度と同様に、色相でも同化効果が見られる。

彩度の同化

茶色の背景に赤いラインを引くと、茶色のラインは鮮やかに見える。暗いラインの背景は、鈍い色に見えてくる。彩度でも同化効果が見られる。

同化現象

■明度同化

細いラインの明度に影響され、背景のグレーが明るく見えたり、暗く見えたりする

■色相同化

細いラインの色相に影響され、背景の黄色が青っぽく見えたり、赤っぽく見えたりする

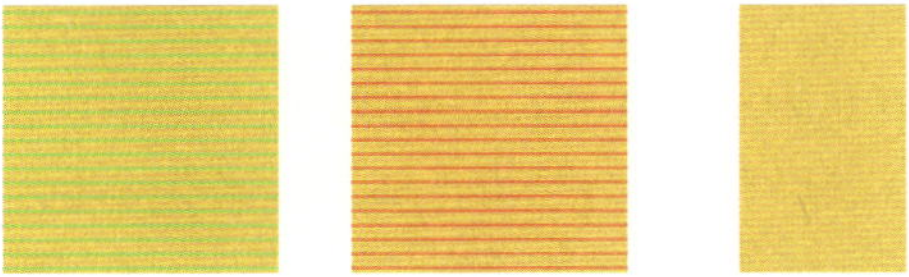

■彩度同化

細いラインの彩度に影響され、背景が茶色が鮮やかに見えたり、鈍い色に見えたりする

よく見える色とよく見える組み合わせ
～色と視認性の関係～

色には見えやすい色と見えにくい色がある。子供に黄色の帽子や黄色の傘、黄色のレインコートなど黄色を身に着けさせるのは、目立つことに加え、遠くから見える色であるからだ。色は見えやすい色、見えにくい色があるのに加え、進出色と後退色の影響もある。そして色の視認性に重要なのは、色を見る明るさと背景に対する色のコントラストだ。外で色を見る場合、自然光は調整ができないので、大事なのは色の背景をどうするのか、背景に対してどんな色を組み合わせるかがポイントになってくる。

「踏切の遮断機はなぜ黄色と黒の縞模様？」と考えてみたことはないだろうか？ 危険を知らせるなら赤でもよいはずだ。実は、この問題は視認性にある。黒の背景に黄色、黒と黄色の組み合わせがいちばん視認性を高くする。危険を知らせる遮断機は、心理的に危険を表す赤を使うよりも、遠方からもいち早く認知できる色であるほうがよかったというわけだ。背景が黒の場合、黄色はいちばん視認性が高く、続いて黄緑、オレンジ、赤が続く。子供たちの雨具は黄色なので、薄暗い雲や空などを暗い背景として考えても目立つ色である。

以前、著者は暗く狭い夜道を運転しているときに、喪服を着た長い髪の女性が黒いストッキングで歩いているのに出くわした。ほんの数メートルの距離になるまで、遠くからまったく見えなかった。突然現れた人影に、幽霊かと思って絶叫したことがある。視認性の悪い色は、実は心臓にもよくない。

屋外で色を使う場合
見え方が大事
踏切は遠くからでも
見えるように
キン
キン
キン
黄色と黒を使っている
道路標識も同じ
子供のレインコートは
黄色
単色ではなく2色だと
もっと目立つ
イタ
なので、もしシマウマが
黄色と黒の柄だったら…
イタ！
絶滅していた…かもしれない

夕暮れになると赤は見えにくい？
～プルキンエ現象、たそがれ時に訪れる不思議な色の現象～

昼に目立っていた赤が夕方になると突然くすみ、緑や青といった色が浮き上がってくる。明るさの中で埋もれていた緑は一瞬生命力にあふれるように見え、交通標識の青はうっすらと目立つようになる。そんなことを思った経験はないだろうか？ これは人間の目の働きや視細胞の働きによるもので、暗くなってくると目が青系のものに敏感になる現象である。明るい昼間は色に反応する錐体（すいたい）が優位に働いて、暗くなると明るさのみを感知する桿体（かんたい）が優位に働く。錐体は赤などの暖色系に特に反応するので、この機能が低下すると相対的に青などの色の感覚が鋭くなったように感じるのだ。この現象を発見者であるチェコの生理学者の名前からプルキンエ（プルキニエ）現象と呼んでいる。

なお、第2章の「犯罪と色彩心理」で紹介した防犯防止に役立っている青の防犯灯。青い照明が夜に目立つのは、こうした効果もあると考えられている。また、昼と夜とで見え方が変わる関係で、どちらの時間帯でも見えにくくならないようなものの研究がなされている。大事な標識などが時間帯によって見えなくなるのは好ましくないからだ。交通の禁止・制限・指定を明記している規制標識は、青と赤の2色を使ってどの時間帯でも見られるようになっている。また2色を使って、昼でも夜でも目立つ子供服なども考案されている。

また、たそがれ時に見る海の風景は格別なものがある。日が沈んでゆくというのに、青々とした海の色と空の色が印象的で、影になった山も大地も青に染まって見える。日本には「青い夕暮れ」と呼ばれる不思議で美しい風景もある。

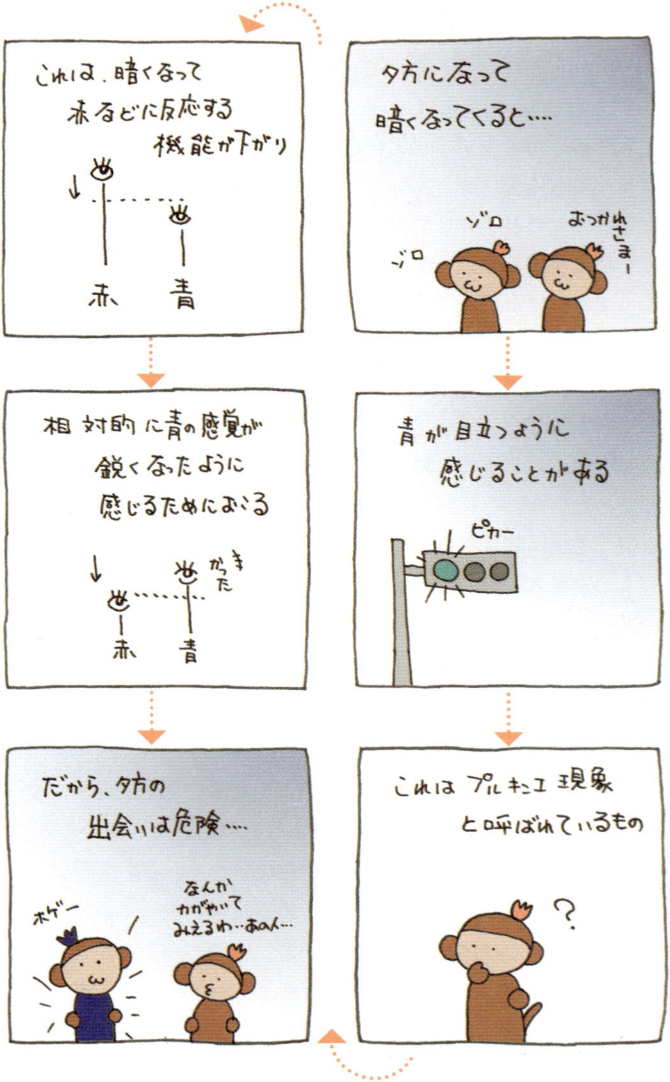
夕方になって
暗くなってくると…
ゾロ
ゾロ
おつかれさまー
青が目立つように
感じることがある
ピカー
これはプルキンエ現象
と呼ばれているもの
?
これは、暗くなって
赤などに反応する
機能が下がり
赤
青
相対的に青の感覚が
鋭くなったように
感じるためにおこる
赤
青
だから、夕方の
出会いは危険…
ホゲー
なんか
カガやいて
みえるわ…あの人…

色は皮膚でも見ている！

～実は皮膚でも色を見て、弛緩や緊張を繰り返している～

人間の感覚の中で、視覚が占める割り合いはきわめて高い。人は多くのものを目から入ってくる情報で判断する。味覚が中心だと思われている食事ですら、視覚が大きく影響をおよぼしている。光や色は視覚から入ってくるので、色のさまざまな効果も目をつぶっていれば影響を受けないと思っている人はいないだろうか？しかしこれはまちがいである。実は、色は皮膚でも見ており、皮膚によってさまざまな色の心理効果を受け、弛緩や緊張を繰り返しているのだ。

光や色彩によっても緊張や弛緩状態が作られている。これをトーナスという。そして、筋肉が弛緩したり、緊張したりする状態を表すのに、脳波や発汗から表した値でライト・トーナス値というものがある。この数値を測定すれば、筋肉がどれほど弛緩しているか、緊張しているかがわかる。

人はベージュなどの明度が高い色を見ているときは、ライト・トーナス値は正常値とほぼ同一の数値が出てくる。パステルカラーなど明度が高い色もほぼ同様である。青も弛緩している状態。緑になると少々緊張状態になり数値が上がる。そして黄色、橙へとなるにつれ緩やかに上昇する。そして赤はもっとも緊張する色。ライト・トーナス値はもっとも高い数値になる。赤い部屋にいると、目をつぶっていても体は緊張・興奮状態。眠っていても赤い布団やシーツでは体が休まらない。逆に青やベージュなどは、眠っていても体をリラックスさせてくれる。ちなみに、第1章の「人を眠りに誘う色」で説明した「メラトニン」も目だけではなく、皮膚が光をあびることでも分泌されるホルモンである。

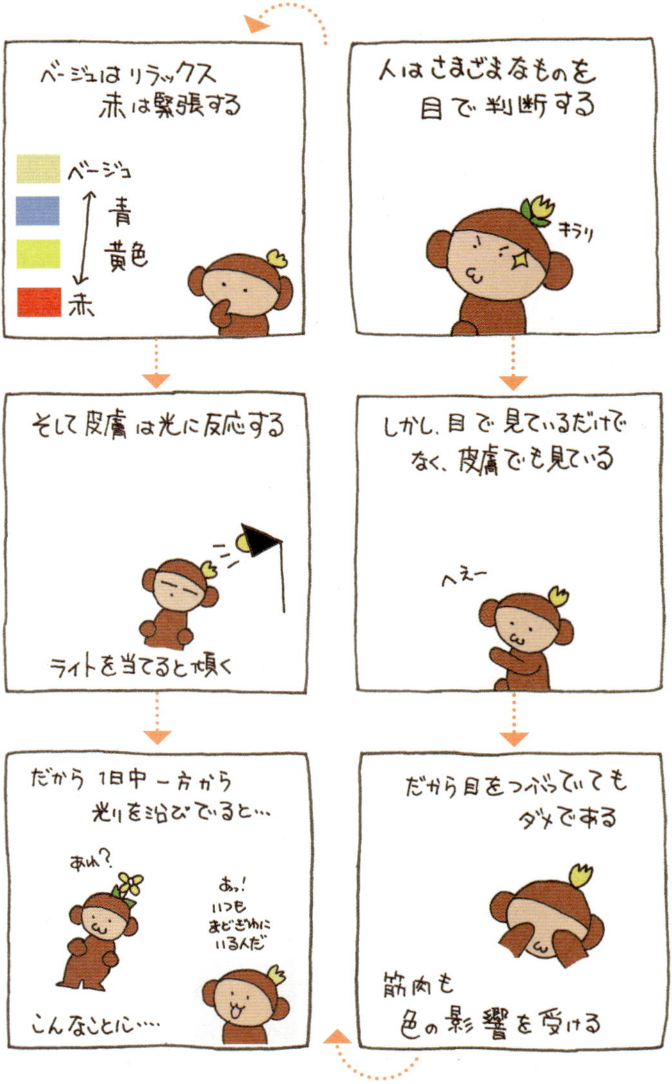
人はさまざまなものを
目で判断する
キラリ
しかし、目で見ているだけで
なく、皮膚でも見ている
へえー
だから目をつぶっていても
ダメである
筋肉も
色の影響を受ける
ベージュはリラックス
赤は緊張する
ベージュ
青
黄色
赤
そして皮膚は光に反応する
ライトを当てると傾く
だから1日中一方から
光りを浴びてると…
あれ?
あっ!
いつも
まどぎわに
いるんだ
こんなことに…

音にも色がある？
～音から色を見る不思議な共感覚～

ある刺激がそれによって起こる感覚ではなく、別の感覚を引き起こすことを「共感覚《きょうかんかく》」と呼ぶ。共感覚を持つ人もさまざまで、色の世界では、ある文字を見ると色が浮かび、香りから色を感じる人などがいるそうだ。この感覚は持っている人のほうが明らかに少ないが、感じる人が同じものを感じることが多いことから、実在する感覚だと思われる。共感覚の中でもほかの感覚から色を見る人は多い。その中でも音楽を聴くと色が見えるという人が存在する。複数の研究者が音と色の関係を研究しているが、同じような結果が出ているのもおもしろい。ドは赤、レはスミレ色、ミは黄金色というように、音と色がリンクして見えるようだ。おもしろいのは和音では色が混じり、色彩学の理論と同じ混色が生まれるという。高い音は明度が高く、低い音は明度が低く現れてくるらしい。一部の人が持つとはいえ、おもしろい感覚である。

そこで疑問が生じた。甲高い声を「黄色の声」と表現する。はたしてこれはどんな声だったのか？ 共感覚では黄色は「ラ」である。そして、高音では黄色みを帯びてくるらしい。共感覚を持つ誰かが、甲高いラの音を聞いて、黄色の見えたのがこの表現の始まりかもしれない。

有名な共感覚者として、ロシアの作曲家ニコライ・リムスキー＝コルサコフやドイツの音楽家フランツ・リストなどがいる。日本では宮沢賢治の名前をあげる人もいる。彼の作品は、視覚と嗅覚を結ぶような表現がいくつか登場する。ただし、共感覚を持つ人間に聞くと彼は違うらしい。作品がとても共感覚的で、表現力が豊かな人だということだ。この感覚を理解するのは難しい。

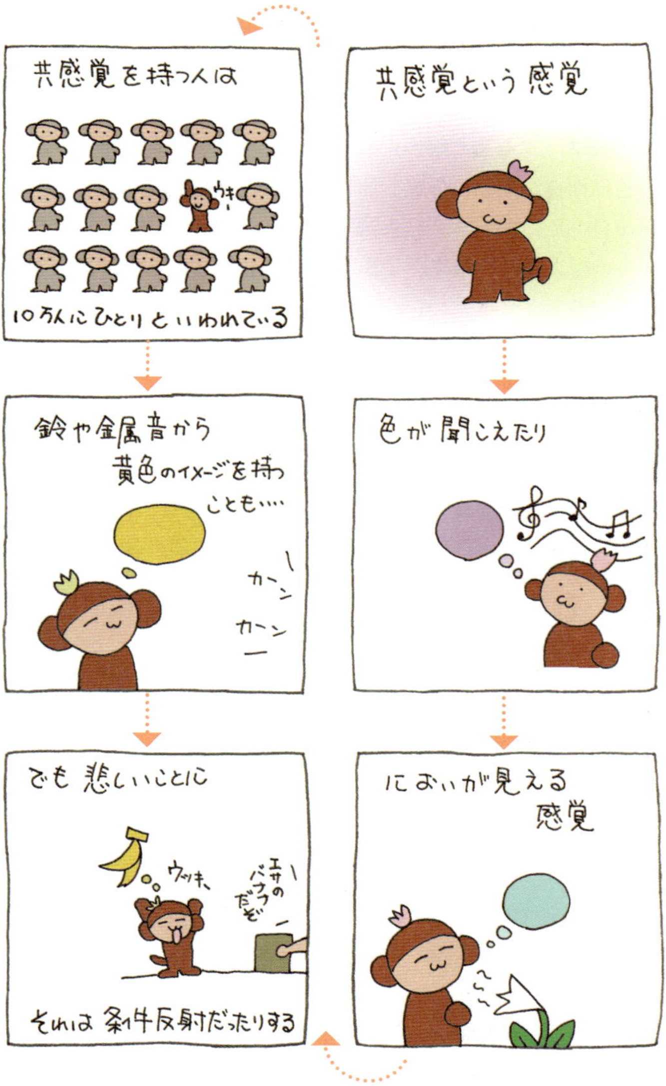
共感覚という感覚
色が聞こえたり
においが見える感覚
共感覚を持つ人は
ウキ
10万人にひとりといわれている
鈴や金属音から黄色のイメージを持つことも・・・・
カーン
カーン
でも悲しいことに
ウッキ
エサのバナナだぞ
それは条件反射だったりする

面積の違いによる色の印象
～色は大きさが変わると違った印象になる～

色は大きくなると明るく感じる

色は面積が大きくなると印象が大きく変化する。持っているイメージが誇張されるので、明るいイメージのものはより明るく、暗いものはより暗い印象になる。特に注目したいのは、明るくなるほうである。デザインや制作の現場、実際カラーを使っているところでは、暗くなったという意見より、考えていた色よりも明るくなったというトラブルをよく耳にする。洋服やカーテン、壁紙などを注文したが、色見本と印象が異なっていたという話だ。これは、カラーチップなどの小さい面積を見て色を決めることが多いために起きる現象である。色見本を使って色を決める場合、見ている色でイメージどおりにするよりも、1段階から2段階、明るくなることを想像して決めたほうがよい。

人は模様を単純化する

人は無意識に柄や模様を単純化する。模様を持った色が小さい面積のときには、ストライプやチェックという認識があっても、洋服やカーテンのような大きさになると、人は模様と認識しない傾向にある。たとえば赤と白のチェックは、合成色のピンクとして認識し、青と白のストライプは水色として認識してしまう。1つ1つの絵柄を記憶しないで、なんとなく全体のイメージとしてとらえてしまうのだ。人間が人の顔を記憶するときも同様に、目の形や鼻の形、口の大きさなどを個別に記憶して顔を覚える人はいない。シマウマがグレーの馬に思える人は、ものすごく単純化ができる人である。

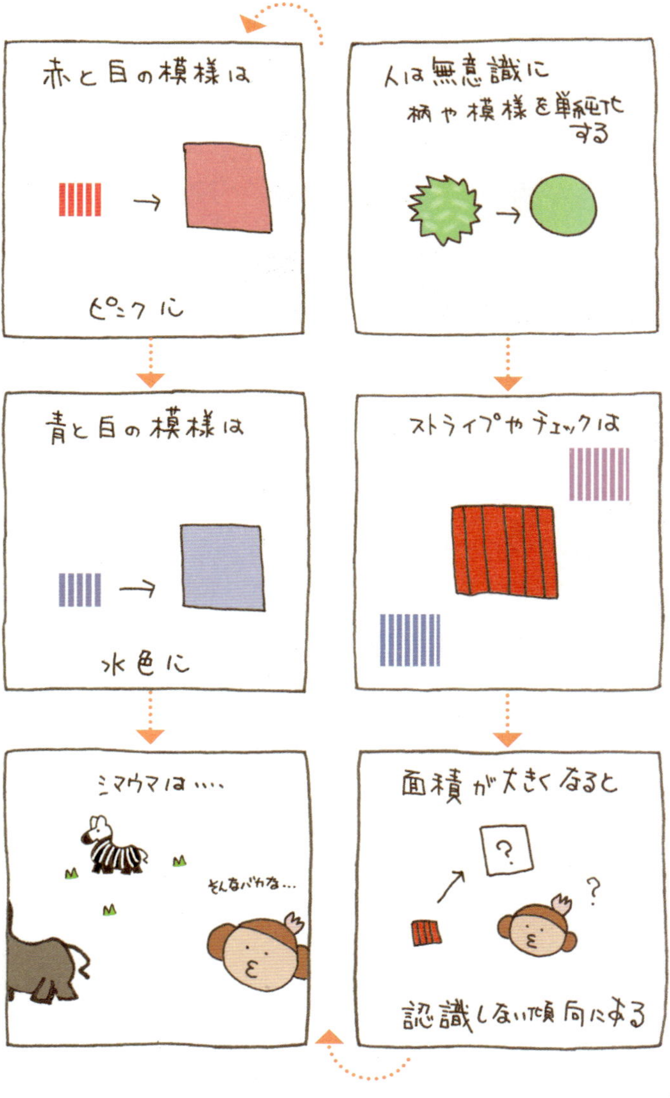
人は無意識に
柄や模様を単純化する
ストライプやチェックは
面積が大きくなると
認識しない傾向にある
赤と白の模様は
ピンクに
青と白の模様は
水色に
シマウマは…
そんなバカな…

記憶色①
〜記憶された色は、特徴が誇張される〜

色の記憶ほどあいまいなものはない。ひと目ぼれした服であっても、その場で買わないことはよくある。数日後に買いに行ったところ、「こんな色だったかな？」と感じたことはないだろうか？数日間の間に色が変化してしまったのだろうか？ いや変わったのは、あなたの記憶である。色は記憶するとその特徴が次第に誇張される傾向にある。鮮やかな色はより鮮やかに記憶に残るので、ふたたびもとの色を見た場合に、違和感を抱くのだ。人は色を記憶するのが苦手である。言葉や文字は、短いものならほとんど完璧に記憶できるが、色は簡単には記憶できない。これはどうしてだろうか？

言葉はパラメーターが1つのもの。たとえば、声のトーンや書かれた書体を省いても「薔薇」「明るい」などの単語そのものを記憶でき、しばらくあとでも単語として再現できる。ところが色は、一見「桜色」「黄緑」とかパラメーターが1つに思えるが、その再現には、色相や明度、彩度という最低3つの要素が必要である。つまり、3つの要素を単純化して色名という1つのパラメーターで記憶しているか、経験上のイメージでとらえているので再現が難しいのだ。だからこそ、人は特徴的なところを記憶して覚えておこうとする。その結果、もとの色より鮮やかな色として記憶されるのだ。

色を記憶するのは難しい。しかし、コツはある。それでは次のページで、実際に色を記憶する方法を紹介しよう。

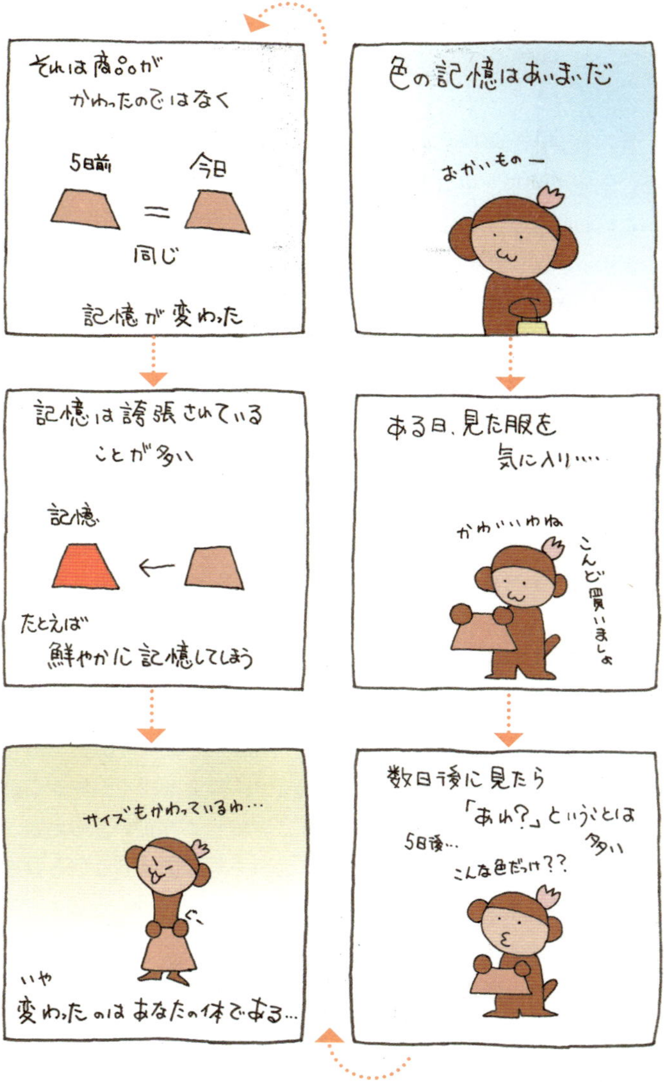
色の記憶はあいまいだ
おかいもの〜
ある日、見た服を
気に入り……
かわいいわね
こんど買いましょ
数日後に見たら
「あれ?」ということは
多い
5日後…
こんな色だっけ??
それは商品が
かわったのではなく
5日前
今日
同じ
記憶が変わった
記憶は誇張されている
ことが多い
記憶
たとえば
鮮やかに記憶してしまう
サイズもかわっているわ…
ぐ、
いや
変わったのはあなたの体である…

記憶色②
～色を完璧に記憶し、再現するテクニック～

昔、著者が服飾関係のデザインの仕事をしていたとき、ある劇場の制服を担当することになった。現地に行って、クライアントからいわれたリクエストは、「この赤い絨毯の上に立っていて映える制服」といって赤い絨毯を見せられた。色や生地を決めるときに、その赤い絨毯の色が必要である。全員デジカメを持っていなかったので、絨毯の色を覚えていこうということになった。2人のデザイナーに営業部長と営業担当の4人で色を覚えていけばほぼまちがいないだろうと思ったのだ。そして、全員が色を覚えて社に戻ったのだが、思い出して色チップで持ち寄ったところ、見事に全員の出した赤はバラバラ。どれが正解か非常にもめた。あとでわかったが、私を除いた全員がまちがっていた。色彩感覚にすぐれているはずのチーフデザイナーもまちがっていたのだ。

なぜ、私だけが合っていたのかというと、実は私はちょっとしたコツを使って色を覚えていた。それは、前のページで少し触れたが、色を3つに分解して覚えていたのである。ちょうど24ページの「マンセル色彩体系」と同じように「色相」「明度」「彩度」に分け、この赤は色相が4Rぐらいで、明度が4で、彩度は12ぐらいかなと記憶していたのだ。ここに色を簡単に記憶して再現できる秘密がある。色相や明度の数字化は、多くの色を見て訓練しないといけないが、難易度は高くない。少し練習すれば誰にでもできる。そして、誰もがあとで簡単に色を再現できるのだ。

私は色を見た瞬間、3つの数字が見える。この数字を覚えておけば、ひと目ぼれした服のイメージがあとで崩れることはないし、時間がたっても色を再現できる。

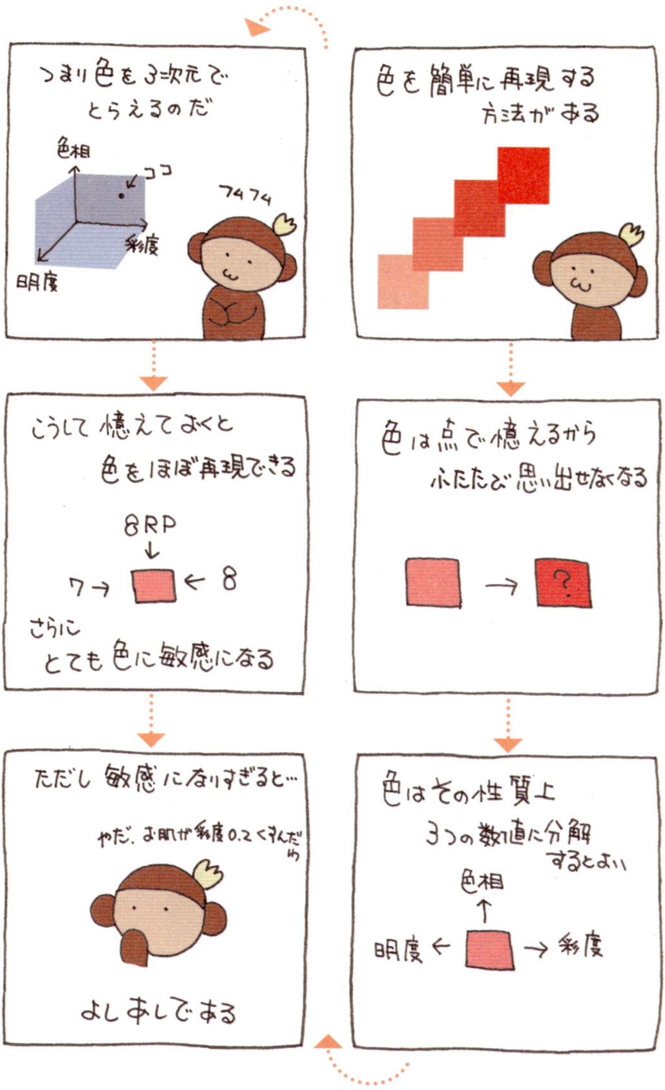
色を簡単に再現する方法がある
色は点で憶えるから ふたたび思い出せなくなる
?
色はその性質上 3つの数値に分解するとよい
色相
明度
彩度
つまり色を3次元でとらえるのだ
色相
ココ
彩度
明度
フムフム
こうして憶えておくと 色をほぼ再現できる
8RP
7
8
さらに とても色に敏感になる
ただし 敏感になりすぎると…
やだ、お肌が彩度0.2くすんだわ
よしあしである

第5章

カラーコントロール

色のおもしろい効果を理解したら、それを活用してこそ意味がある。ここでは、その一例としてファッションのカラーコントロールを説明。洋服と色の関係、パーソナルカラーシステムと呼ばれる、似合う色を見つけるシステムの概要を紹介する。

ファッションと色の関係
～色の好みと洋服選び～

洋服は、自分の好きな色を買う。これは基本であり、自分の好きな色を洋服の色に反映することで、表現欲の満足感を得る。洋服を自分が好む色だけでそろえる人もいるだろう。ところが、そうともかぎらない。ピンクが好きだが、ふだんピンクの服は着ない、好きではない白い服を持っていて、たまに着るという人も多い。ありのままのの自分の感情や気持ちを洋服で表現する人もいれば、表現が得意ではない人、しない人もいる。世の中に誰もいなかったら、多くの人は自分の好きな色だけを着るだろう。相手やルールがあることで、自分の表現力に制限がかかってしまう。ところが、洋服を見た相手は、着た人の意思に関係なく、洋服からその人のイメージを受け取ってしまうのだ。女性が淡いピンクの服を着ていれば、女性らしさややさしさを相手に少なからず印象づけてしまう。洋服のカラーが相手に与える印象は大きい。人は表情や話し方と同時に、洋服のカラーから話をしている人のイメージを強く受け取る。この色が持つメッセージ性を理解し、コントロールできるようになると、会話をしなくても、ある程度のコミュニケーションを図ることができる。洋服は、便利なコミュニケーションツールなのだ。

それでは、どんなときに、どんな色の服を着るのがよいのか？

①洋服の色が相手に与える影響。相手との関係、伝えるメッセージ性について

②洋服の色が自分におよぼす影響。心理的に自分に受ける影響という2つのアプローチで、色と洋服の関係を探ってみよう。

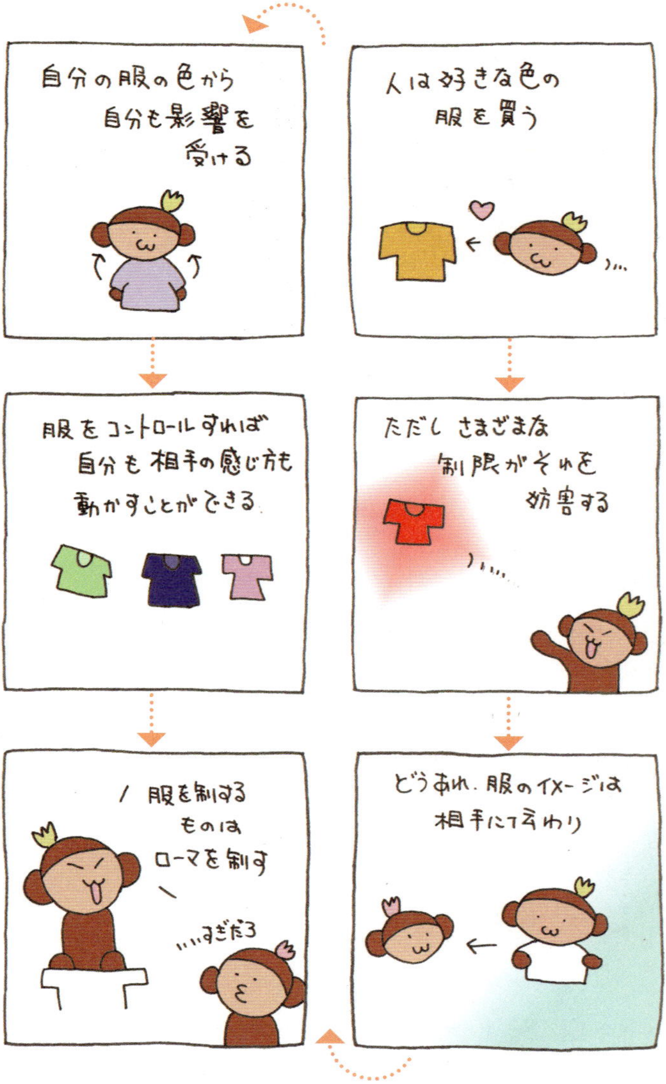
人は好きな色の
服を買う
ただし さまざまな
制限がそれを
妨害する
どうあれ、服のイメージは
相手に伝わり
自分の服の色から
自分も影響を
受ける
服をコントロールすれば
自分も相手の感じ方も
動かすことができる
服を制する
ものは
ローマを制す
……すぎだろ

洋服の色が相手に与える影響
～自分の服の色が相手に与える心理効果、イメージ～

洋服の色に込められたメッセージを参考に、相手にどういう印象を伝えたいか、どう見られたいかをコントロールすることができる。だが、色によっては、与えるイメージや心理効果に二面性がある。どちらが相手に伝わるかは、ほかの色との組み合わせや、ほかの要因も影響するので注意が必要だ。

与えるメッセージ

私に注目して／派手なものが好き／私は元気です／目立ちたいです／刺激がほしいです

・相手の第一印象に残る色。初対面の相手に使うとよい
・会議には好ましくない色。相手の意思決定を散漫にする

与えるメッセージ

愛してください／私はデリケートです／守ってください／幸せです／誰かのめんどうを見てあげます

・相手の気持ちをやさしくさせる。相手の庇護欲などを活性化する

与えるメッセージ

楽しい気分です／気軽に接してください／私には目標があります

・食欲と楽しさを喚起する色なので、誰かといっしょにおいしいものを食べに行くときなどに向いている

与えるメッセージ

話しましょう／楽しくやりましょう／私は喜んでいます／新しいものが好き

・相手と仲よくなりたいとき、話したいときに着ると効果的
・トラブルの仲裁など間に立って冷静な判断をしたいとき

与えるメッセージ

平和に行きましょう／バランスを取ります／挑戦します／誰かなんとかしてください

・周囲の人たちと調和を図りたい場合。調和の雰囲気を与える

与えるメッセージ

問題を解決します／知的な感じがする／安心しておまかせください／うまくやります

・相手に冷静さを与える。クレーム対応などに着るとよい

・濃い青は相手に信頼感を与える。知的にも見える

与えるメッセージ

私を認めてください／私はほかの人とは違います／私の直感におまかせください／私の魅力はどうですか？

・感覚的なことを説明する場合は、藤色系の色がよい

・赤紫は相手の性的感情を盛りあげる

与えるメッセージ

誰も私に指図をしないで／私の言っていることは間違いありません／品がよいイメージがする

・誰かに指示、命令する場合に効果的なイメージを作る

与えるメッセージ

私は誠実です／言うことを素直に聞きます／私は個性的です／清潔感がある

・冷たい印象を受けることがあるので、初対面の人に着ていくのは向かない。コーディネイトによっては清楚に見える

与えるメッセージ

あまりかかわりたくない／私はまじめな人間です／あなたの考えにあわせます

・仕事を言いつけないでほしいときに着ていると効果的

洋服の色が自分におよぼす影響

～洋服の色は自分にどんな心理効果をおよぼすのか～

次に洋服の色が自分にどういった影響を与えるか解説する。第3章では色の好みと基本性格の関係を解説したが、ここでは洋服の色がその色を着ている人の心や体にどんな影響を与えるかを説明する。好む色によって洋服が選ばれるが、洋服の色がその人の性格をも変化させていくことがある。

・元気になりたいときや無気力なときに着ると元気が出る。ところが、疲れやすい人や慢性的な疲労感があるときに着ると逆効果
・気持ちを前向きにしたいときに着ると、推進力を与えてくれる
・生殖器の働きが活発になる。特に下着は効果的

・人にやさしく接することができる。性格が温厚になる
・ストレス解消になる
・内分泌系を活性化して、若返りの効果がある

・成長ホルモンを刺激する。新陳代謝があがる
・動きが機敏になる。積極的に動くようになる
・二日酔いや気分が悪いときは、症状を悪化させることがある

・自分の欲望を刺激する色。野心が出てくる
・不安な気持ちを救ってくれる。自分に自信がわいてくる
・難問を解決したいとき、推進力を与えてくれる
・腸の動きが活発になって便秘が改善される

・精神が落ち着く、心に平和をもたらしてくれる
・決断が必要なときは、決断力を与えてくれる
・頭痛を癒す効果がある。疲れた目にもよい

・新陳代謝を活発にする。集中力が高まる
・自分の創造力を刺激する。新しい発想が生まれる
・痩せて見えるだけでなく、本当に痩せる効果もある

・疲れた精神状態を癒してくれる
・体調調整や下痢止めの効果もある

・女性ホルモンの分泌を促進させ、より女性らしくなる
・自分の直感力を刺激する。感覚が鋭くなる

・外部の力から自分を守る。ストレスをブロックする
・相手をコントロールする力を与えてくれる

・内分泌を促して、肌が若々しく美人になる
・新しいなにかを始めようとするときに気持ちが整理される
・大きな決断をしなくてはいけないときには着ないほうがよい

・エネルギーの消耗を抑えてくれる
・行動が慎重になる。活動的でなくなる

パーソナルカラーシステム①
～自分に似合う色選び～

どんなときにどんな色を身に着けるのが効果的かという話をしたが、肝心な問題が1つ残されている。良質なイメージを表現しようと思っても、その色が自分に合っていなければ、あまり意味がない。好きな色を心地よく着るためにも、自分にどんな色が似合うのかを知ることは大事だ。

パーソナルカラーシステムは、その人の肌全体の色や頬の色、目の色、髪の色などから自分に合う色を見つけるシステムである。イメージコーディネイト先進国のアメリカで確立されたシステムであり、日本でもかなり前から使われている。日本人用にもアレンジされ、パーソナルカラーシステムを使うコーディネイターや関係書籍も多いので、一度ぐらいは聞いたことがあるだろう。ここでは、簡単にこのシステムの概要を説明しよう。

色に、色相、明度、彩度という3つの属性があることは説明したとおりだ。ところがパーソナルカラーシステムは、これにアンダートーン（アンダーカラー）と呼ばれるものを加えて調和を見る。アンダートーンは、ブルーベース、イエローベースという2種類に分かれていて、まず自分がどちらに属する肌の性質を持っているのかを調べる必要がある。

調べる方法だが、青みのある冴えた白い生地（シャツ）と薄い黄色がかったオフホワイトの生地を用意する。この生地を明るい部屋の鏡の前で顔にあて、どちらの生地を合わせると顔色がよく見えるか調べよう。肌が健康的に、顔が生き生きと見えるほうの生地を選ぶのがポイント。

白い生地が似合うと感じた人はブルーベースの人。肌の色が青系を帯びているか、ピンク色の肌を持っている。白以外にも紫、明るい青、レモンイエローなどの色がよく似合う。日本人男性の多くはブルーベースである。オフホワイトの生地が似合うと思った人はイエローベースの人。黄色みを帯びた肌を持っている人は、アイボリー、モスグリーン、オレンジなどがよく似合う。

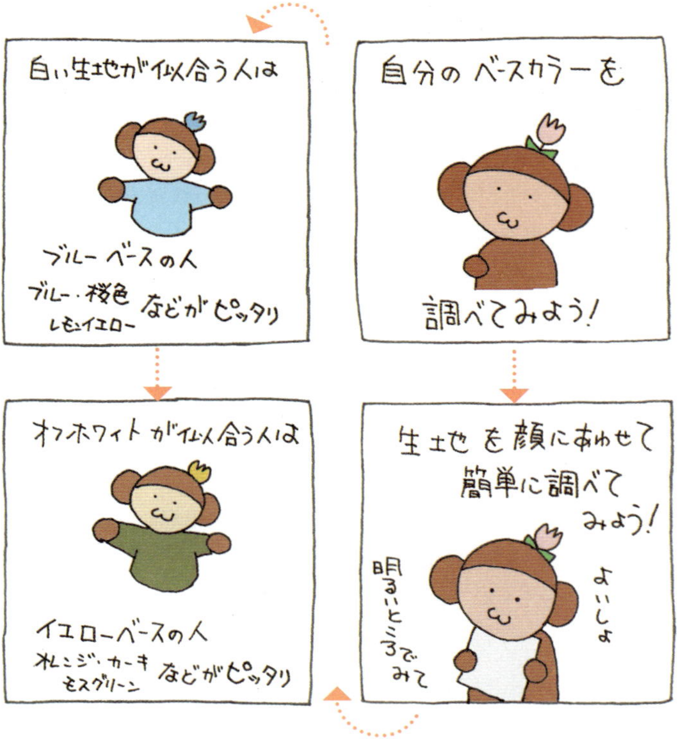
自分のベースカラーを
調べてみよう！
生地を顔にあわせて
簡単に調べて
みよう！
明るいところでみて
よいしょ
白い生地が似合う人は
ブルーベースの人
ブルー・桜色
レモンイエロー
などがピッタリ
オフホワイトが似合う人は
イエローベースの人
オレンジ・カーキ
モスグリーン
などがピッタリ

パーソナルカラーシステム②
～春夏秋冬に分類するフォーシーズンカラー～

自分がブルーベースの人間かイエローベースの人間かがわかったら、次に春、夏、秋、冬の4つの季節になぞらえた4つのタイプに分類する。本来は詳細な質問や生地を肌にあてて選定するのだが、ここでは簡易的にタイプの紹介をしよう。

イエローベース

イエローベースの人で、髪や黒目が茶色の人、コーラルピンクの頬を持つ人は春型の人。暗い茶の瞳に、こげ茶や深い茶色の髪を持ち、オレンジがかった色の頬、ダークな深い肌色を持つ人は秋型の人。春型が少女らしさを出しているのに比べ、秋型は大人っぽいイメージがある。

イエローベース　→　春型（Spring）
　　　　　　　　→　秋型（Autumn）

ブルーベース

ブルーベースの人で、髪や黒目がソフトなブラックかこげ茶の人、ローズ系の頬を持つ人は夏型の人。黒髪と黒い瞳に濃いピンクをした頬の人は、冬型の人である。

ブルーベース　→　夏型（Summer）
　　　　　　　→　冬型（Winter）

日本人には複合型も多く、夏型と冬型を分けられない、夏・冬型のような人もいる。どちらともいえない人は、両方のコーディネイトを試すのがよい

■ 春型(Spring)

・肌／イエローベース（色白で透明感のある肌）
・髪／茶色
・春のような明るくて鮮やかな色が似合う

■ 夏型(Summer)

・肌／ブルーベース（少し青みがかった肌）
・髪／ソフトなブラック
・明るくいが抑えめ。エレガントなイメージの色も似合う

■ 秋型(Autumn)

・肌／イエローベース（ややダークな肌）
・髪／こげ茶
・大人っぽく都会的なリッチな色が似合う

■ 冬型(Winter)

・肌／ブルーベース（色白、もしくはやや青型のダーク肌）
・髪／黒
・白、黒を中心にメリハリのある強いコントラスト

※似合う色はほんの一例

流行色は作られている
～流行色は2年前から考えられている～

今年の冬はモノトーンが注目カラー、春夏はホワイトとイエローなど、流行色の話題が耳に飛び込んでくる。この流行色とはなんだろう？ シーズンが始まる前から、流行色がわかっていることに、疑問を感じた人は少なくないはずだ。実は流行色は決められている。いや、提案されているといったほうが正しい。実はインターカラー（国際流行色委員会）という国際的な組織があり、そこで流行色が検討され決められているのだ。日本からは日本ファッション協会流行色情報センター（JAFCA）が参加している。

流行色の選定は、2年前にさかのぼる。世界のファッションカラーに関する研究団体など14か国の代表が集まり、提案色を持ち寄り、2年後のトレンドカラーを選定しているのだ。この各国の提案色はおもしろい。日本からも印象的な素材や商品パッケージのカラーなどが持ち込まれる。何年か前には「フジフィルム」のパッケージを持ち込んだところ、めずらしい緑だったので、各国から「新鮮な緑だ」と評価されたこともあった。このようにして、決定したカラーは各国に持ち帰られ、現在の生活者の意識やライフスタイル、百貨店の売れ筋動向などを加味して、JAFCA専門委員会の色選定会議によって日本のトレンドカラーが決まる。そして、その色が配信される。メーカーはそれをもとに商品開発を行い、雑誌社などは、その色に独自でアレンジを加え、流行色が実シーズンの少し前に発表されたり、仕掛けられたりするのだ。

しかし、このような作られた流行色以外にも、自然発生的な流行色も生まれる。提案色とまったく逆の色が流行したり、提案色と流行色が融合するのを見ると実におもしろい。

流行色は事前に
用意されている
今年は
みんな
黄色ね
なんで
かしら…
実は 流行色が動くのは
2年前…
ゴ、ゴ、
ブーン
パリ
世界の公益色彩団体が集まり
+数国の委員が提案色
をもとに協議する
ん？
いい色がないわ
その色！
決まった色は母国で
さらに調整され…
モグ
モグ
メーカーに発信される
メーカーはそれを参考に
商品企画
ブーン
来年は
イエローですって
モグ
モグ
そして… 流行色が生まれる
今年の春夏はセクシーで
ジューシー
「エレガンス・イエロー」
こうして流行色は生まれる

第6章

色の雑学

最後に少々、変わった色名や色の雑学を紹介する。思わず「へぇ～、そうなんだ」とつぶやいてしまう、色の小ネタを集めてみた。色のおもしろさを少しだけ実感してもらおう。色は複雑だが、実におもしろい！

おもしろい色名①

多くの人が誤解をしているが、色の名前は色見本や辞典に載っているものを「点」で表しているのではない。色名は「範囲」を表すものである。多くの色が自然にある草や木、花などから命名されている。たとえば「若草色」といっても、自然にある若草の色は一定ではない。点でとらえたある色のみを「若草色」と認め、そうでない色は「若草色」でないとするのは、ナンセンスである。色彩学や色彩心理学を学んでいると、この原点をつい忘れてしまう。商業的な問題として、色を便宜的に点でとらえているだけである。色は本来は範囲であるということを再確認して、さまざまな色を見るようにしてほしい。このようなことを考え、おもしろい色名がついた色を見てみると、さらにおもしろい色の世界が広がるだろう。

新橋色

「新橋色」という色がある。「新橋」のイメージは「サラリーマン」「ガード下」「商業ビル」といったところか。なんとなく渋い鼠色のイメージ？ 活気のある飲み屋をイメージした暖色？ でも違う。実は「新橋色」とは、大正時代、新橋にいた芸者たちが好んで着ていた着物の色なのだ。明るく冴えた緑青。化学染料の鮮やかな青緑色を積極的に着物に採り入れたところ、それまでになかった鮮やかな色なので流行色になった。新橋の芸者たちは、時代に敏感な芸者だったようだ。いまの新橋サラリーマンも、彼女たちの感覚に負けずに、時代に敏感であってほしい。でも、もし「サラリーマン色」という色があったら、どんな色だろうか？ 明るい明日を象徴する色であってほしいものだ。

新橋色という
色がある
昔、新橋にいた
芸者さんが好んだ色
ハアー
ベン
ベン
そこで
われわれは
新しい
新橋色を
つくりたい
ビルの
灰色
ダメダメ
夢がナイナイ
こんな明るい
色はどうだろう？
オー
昨日
駅前のSL広場にいた
山下さんのパンツ
の色
なんじゃそれ！
って
なんで知ってるんだ

おもしろい色名②

空色

昼間のよく晴れた空の色。淡い青で水色に近い色。空色といっても自然のものなので、日々色が変化してしまう。これほどあいまいな色もないだろう。でも、空色にはこんな定義がある。「夏の晴天の午前10時から午後3時までの間、水蒸気や埃の影響の少ない大気の状態でのニューヨークから50マイル以内の上空を、厚紙に1センチ角の穴を開け、それを眼から約30センチ離してかざし、穴を通して見た色」。あいまいな色に、やたらに厳しい定義があるからおもしろい。

江戸紫と京紫

江戸紫と京紫という紫がある。江戸紫は東京の武蔵野に自生していたムラサキソウで染められた紫。京紫は江戸紫よりも赤みによった紫。この色の違いから江戸と京の差が見てとれておもしろい。粋な江戸の紫は、やや青みがある王道の紫。そして派手好みの京紫は、赤みがかった紫。赤みの混じった紫がなんとも京を象徴しているようだ。そこで、もし奈良紫という色があったらどんな感じであろう？ ちょっと茶色が入った古風な紫だろうか？

フォーゲットミーナット・ブルー

恋人のために水辺に咲く青い花を採ろうとした青年が、川に落ちて流されてしまった。彼は流されながらも、恋人に青い花を投げ「私を忘れないで」といって見えなくなってしまった。青年のその言葉がこの花の名前の由来になっているという。日本名ではわすれなぐさ色。花言葉は「真実の愛」を表す美しいブルーである。

アチッ
空色
てやんでい!
紫は江戸紫だ
江戸紫
京紫
なにいってはるの
火事とケンカは…
あなたを忘れないわ
っていうか
たすけて…!
フォーゲットミーナット・ブルー

おもしろい色名③

猩々緋

猩々（しょうじょう）とは、中国の伝説上の生き物で、猿に似た顔と人間の子供のような声、鮮やかな赤い体毛を持つとされる。その血は、もっとも赤いとされ、そこからこの色名が誕生した。中国では「猩紅」という。

ブレックファーストルーム・グリーン

海外にはおもしろい名前の色がある。「ブレックファーストルーム・グリーン」は、淡くてややグレイシュなグリーン。朝食を食べる部屋の緑？ でもこのグリーンは、太陽の光でもキャンドルライトでも映えるよい色とされ、壁などの色に使われている。けっきょく、ディナーでもよいのか？ 謎だ。

楝（おうち）

センダン科センダンの古名、楝（おうち）の花の色。浅い青みがかった紫。家具材として有名なマホガニーの仲間で、家具や建築用の資材としても使われる。つまり、楝は本当にお家（うち）になってしまうのだ。

洒落柿

「渋柿」「干し柿」は聞いたことがあるが、オシャレな柿とはどんな柿なのか？ 洒落柿の元の名前は、晒柿（されがき）。「しゃれがき」は「されがき」より語呂がよく、江戸時代に変化したと思われる。薄い黄色みかがったオレンジ色に、シャレた名前をつけた江戸の「粋」が感じられる色名である。

猩々緋
ルルル、
酒
しょーじょーだ
我々は
ランチタイムグリーンの
開発に成功した
ブレックファースト
グリーン
オー
ブーン
ショージョー
バエだ
棟
そこ
どいて
おうちを
たてるんだから
洒落柿
も、
たべれへん

色の雑学①
～色にまつわるおもしろい小ネタを紹介～

芸人をなんで色物という？

寄席などでは、漫才や奇術をする人をどうして「色物」と呼ぶのか？ いまではお笑い芸人のことも色物と呼んでいる。落語の寄席や講談の講釈場などの演芸の席には、主流ではない芸を持った人が演芸をする。この人たちを色物と呼んだことが始まりだ。ただ、なぜ色物と呼ぶことになったのかは諸説がある。いちばん信憑性が高いのが、寄席の出し物を紹介する看板に、落語以外の芸をする人間を赤文字で書いたことに由来するということ。落語や講談とほかの芸をする人は、文字の色で分けていた。ほかにも、芸人は色とりどりの派手な衣装を着ていたからという説がある。確かに落語家や講談師に比べて、芸人は派手な衣装を着ていた。まぁどちらにしても、寄席の間と間を埋める華やかな彩りであることはまちがいない。

色男の色とは？ 何色？

美男子の色男。この色とは何色なのだろうか？ 色男の語源をさかのぼると歌舞伎の世界にたどり着く。ここで、男性を色白の美男子に見せるため、顔を白く塗っていた事が始まりとされている。つまり、色男の色は「白」なのだ。最近のドラマに出ているさわやかな夏の香りがする健康的なイケメンは、本来の意味でいう色男ではない。また、美男子だけでなく、恋多き男も色男と呼ばれる。これは「色」という文字が、「男」と「女」という文字を重ねて作られた象形文字だからという説があるからだ。想像すると色白の色男も顔が赤くなる。

色物という言葉がある
サルなんですよ
ナンデヤネン
ハハハ
ハハハ
お笑い芸人を指す言葉
本来は寄席で
主たる落語家と芸人を
区別するため
オマエサン
円熟
看板・番組表にて
色を使ったからとされている
落語　秋風亭　馬顔
落語　五笑亭　歌四角
漫才　サルマヨ
落語　二笑亭　円熟
コント　サルひとり
芸人はすっかり人気者
になってしまい
みごとな色物だ
もはや
色物は、ほめ言葉のようでもある
しかし家庭では
ハーイ
あなた洗濯終った？
色物は敬遠されている
ヤベ色物だ
ウキ？
ちゃんと色物をわけた？
バサッ

色の雑学②
～色にまつわるおもしろい小ネタを紹介～

十人十色は本当か？

十人十色という言葉がある。考え方や好みなどがそれぞれの人で違っていることをいう。それで、本当に色の好みが10人で違うのか、周りにいる10人に聞いてみた。年齢も性別もバラバラな人に何色が好きか質問する。すると「緑、オレンジ、赤、黒、藤色、白、オレンジ、青、ピンク、緑」と10人で8色に分かれた。微妙な感じなので、あと10人にも聞いてみた。「ピンク、緑、水色、紫、ローズレッド、グレイ、ワインレッド、紫、インディゴブルー、緑」。ややマニアックな色がでてきて驚いた。そして、ローズレッドとワインレッドを別の色とすると、こちらも10人で8色。やはり好みは色々。あなたも近くにいる10人に色の好みを聞いてみてはどうだろう？

人間が識別できる色

人間が識別できる色は、50万色から100万色。一説には700万色から1000万色も見分けられるといわれている。人間の色彩感覚は実はものすごい感覚を持っている。しかし、もっとすごいのは最近のテレビ。色の表現力は1670万色という。さらに、プラズマテレビは36億2000万色や57億5000万色といった表示色をアピールしている。しかし、賢い読者はもうおわかりだろう。そんなに表示色があっても、人間の色彩感覚を越えているので、あまり意味がない。1670万色より36億色のほうがキレイに見える印象があるが、どちらも同じにしか見えないだろう。1000万色もあれば十分。テレビ選びの参考にしてほしい。

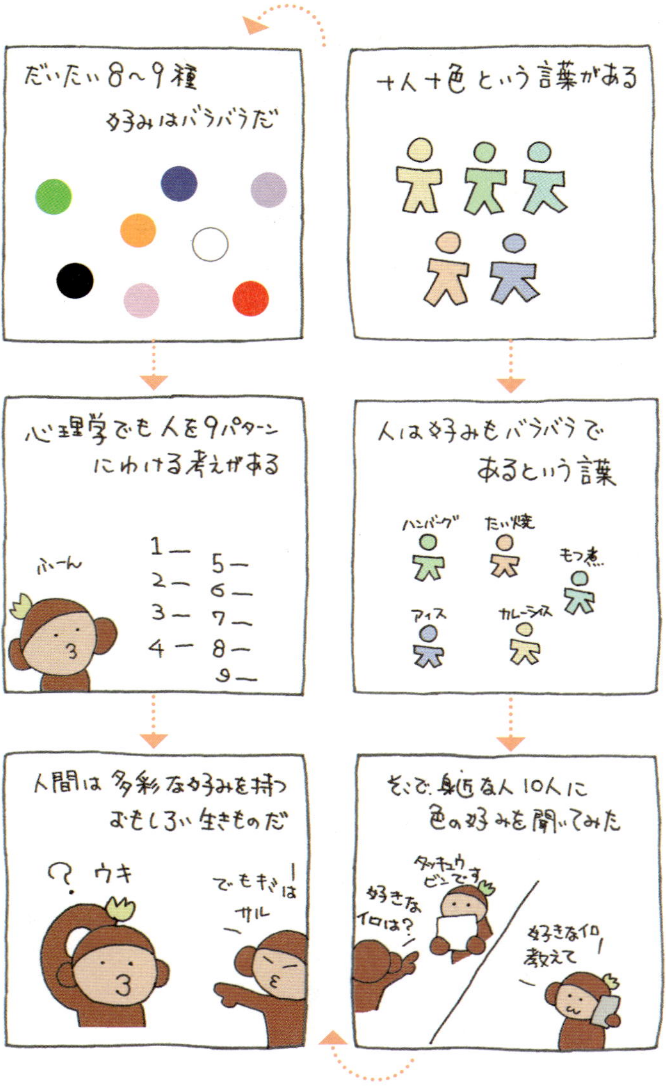

十人十色という言葉がある
人は好みもバラバラであるという言葉
ハンバーグ
たい焼
もつ煮
アイス
カレーライス
そこで身近な人10人に色の好みを聞いてみた
好きなイロは?
タッキュウビンです
好きなイロ教えて
だいたい8〜9種
好みはバラバラだ
心理学でも人を9パターンにわける考えがある
ふーん
1—
2—
3—
4—
5—
6—
7—
8—
9—
人間は多彩な好みを持つおもしろい生きものだ
? ウキ
でもだはサル!

色の雑学③
～色にまつわるおもしろい小ネタを紹介～

日本の色の由来

原始日本には「赤」「黒」「青」「白」という4色しか存在しなかった。「赤」は「明ける」「明るい」から、「黒」は「暮れる」「暗い」から生まれた言葉だ。古代の日本人は「黒」の反対色は「白」ではなく「赤」と認知していたようである。「白」は「知る」「印」「顕」などが語源といわれ、はっきりと現れるものを意味した。「青」は「淡い」や「漠」が語源で灰色を表している。「青」は広い範囲の中間色を表す言葉だった。すでに飛鳥時代には、身分を12色の色で表すなど、色が活用されるようになっていたのだ。

世界の民族が区別する色

イヌイットは、われわれが「白」と呼ぶものにも数十種類の区別をして使っている。白い雪に覆われた場所でも、微妙に白を区別して道標などに使っているという。多彩な色の区別がつくのにもかかわらず、色名を白と黒しか持たない民族もいる。

もう1つの原色を持つ女性

人間の眼は赤、青、緑の3原色を認識する細胞を持っているが、女性には4原色を持っている人がいる。女性の数%～十数%は、赤を感知する視細胞を2パターン持つといわれ、そのため微妙な赤の違いを容易に識別できる。ところが遺伝上の問題で男性は2パターンの赤い視細胞を持ちえない。無数にある口紅の中から自分の赤を選び出す才能は、どうやらここからきているようだ。

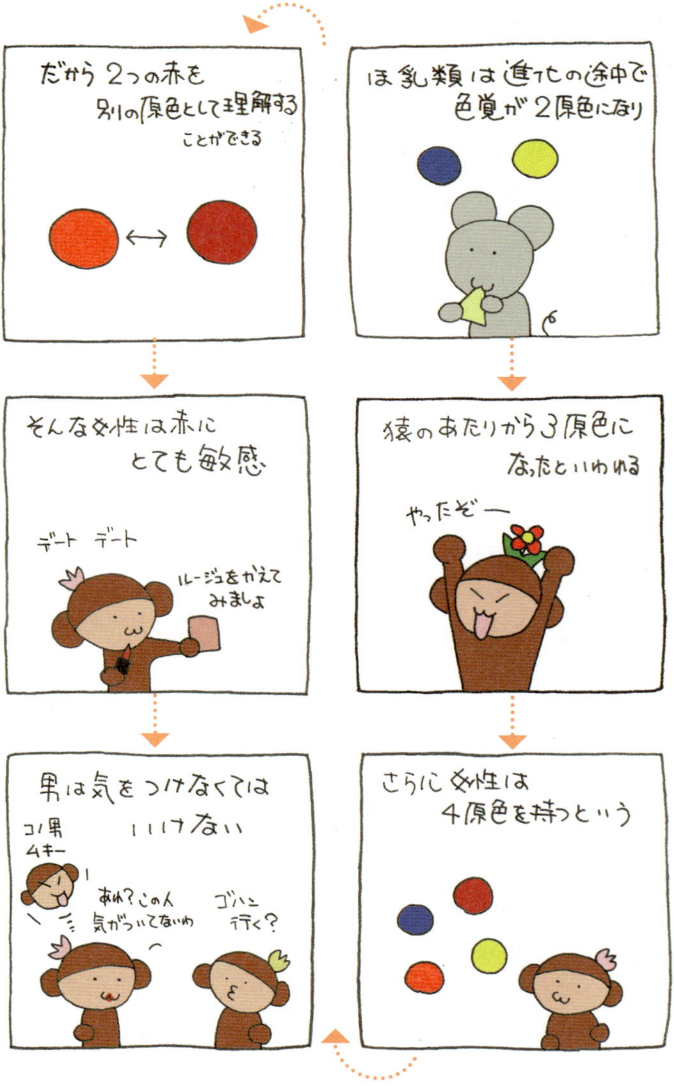
ほ乳類は進化の途中で
色覚が2原色になり
猿のあたりから3原色に
なったといわれる
やったぞー
さらに女性は
4原色を持つという
だから2つの赤を
別の原色として理解する
ことができる
そんな女性は赤に
とても敏感
デート　デート
ルージュをかえて
みましょ
男は気をつけなくては
いけない
コノ男
ムキー
あれ？この人
気がついてないわ
ゴハン
行く？

《参考文献》

『色の秘密』 野村順一（ネスコ、文藝春秋、1994年）

『色彩効用論（ガイアの色）』 野村順一（住宅新報社、1988年）

『ビレン　色彩学の謎を解く』 フェイバー・ビレン　佐藤邦夫・訳（2003年、青娥書房）

『好きな色嫌いな色の性格判断テスト』 フェイバー・ビレン　佐藤邦夫・訳（2003年　青娥書房）

『色彩の魔力』 伊藤誠宏、浜本隆志編著（明石書店、2005年）

『青の美術史』 小林康夫（平凡社、2003年）

『色彩心理の世界』 末永蒼生（PHP研究所、1998年）

『白衣高血圧症の要因と扱い方』 幸谷友幸、苅尾七臣（2006年）

『ヨーロッパの色彩』 ミシェル・パストゥロー、石井直志／野崎三郎・訳（1995年、パピルス）

『役立つ色彩』 ルイス・チェスキン、大智浩・訳（1972年、白揚社）

『科学 Vol.65　色覚の分子生物学』 北原健二（1995年、岩波書店）

『新カラーコーディネイト術』 貞子ネルソン（現代書林、1994年）

『人はなぜ色にこだわるのか』 村山貞也（KKベストセラーズ、1996年）

『色彩の力-色の深層心理と応用-』 デボラ・T・シャープ　千々岩英彰／斎藤美穂・訳（福村出版、1986年）

『色彩と心理おもしろ辞典』 松岡武（三笠書房、1994年）

『新版 日本の伝統色-その色名と色調-』 長崎盛輝（青幻社、2006年）

『色名辞典』 清野恒介、島森巧（新紀元社）

『色々な色』　近江源太郎・監修 ネイチャー・プロ編集室（光琳社出版）

『古事記』 倉野憲司（1963年、岩波書店）

『SANTA CLAUS サンタクロースとその仲間たち』 フェリシモクリスマス文化研究所（1991年、フェリシモ出版）

『Art Book Vermeer』 （ADK PUBLISHING BOOK、1999年）

『GIRL WITH A PEARL EARRING』 Tracy Chevajen

ていぱーく（逓信総合博物館）のHP／ 日本郵政公社・NTT東日本・NHK http://www.teipark.jp/

財団法人 日本ファッション協会（JAFCA）のHP／ JAFCA http://www.jafca.org/

索　引

サイエンス・アイ新書 発刊のことば

science・i

「科学の世紀」の羅針盤

20世紀に生まれた広域ネットワークとコンピュータサイエンスによって、科学技術は目を見張るほど発展し、高度情報化社会が訪れました。いまや科学は私たちの暮らしに身近なものとなり、それなくしては成り立たないほど強い影響力を持っているといえるでしょう。

『サイエンス・アイ新書』は、この「科学の世紀」と呼ぶにふさわしい21世紀の羅針盤を目指して創刊しました。情報通信と科学分野における革新的な発明や発見を誰にでも理解できるように、基本の原理や仕組みのところから図解を交えてわかりやすく解説します。科学技術に関心のある高校生や大学生、社会人にとって、サイエンス・アイ新書は科学的な視点で物事をとらえる機会になるだけでなく、論理的な思考法を学ぶ機会にもなることでしょう。もちろん、宇宙の歴史から生物の遺伝子の働きまで、複雑な自然科学の謎も単純な法則で明快に理解できるようになります。

一般教養を高めることはもちろん、科学の世界へ飛び立つためのガイドとしてサイエンス・アイ新書シリーズを役立てていただければ、それに勝る喜びはありません。21世紀を賢く生きるための科学の力をサイエンス・アイ新書で培っていただけると信じています。

2006年10月

※サイエンス・アイ（Science i）は、21世紀の科学を支える情報（Information）、知識（Intelligence）、革新（Innovation）を表現する「ｉ」からネーミングされています。

SB Creative

science·i

サイエンス・アイ新書

SIS-007

http://sciencei.sbcr.jp/

マンガでわかる色《いろ》のおもしろ心理学《しんりがく》

青《あお》い車《くるま》は事故《じこ》が多《おお》い？　子供《こども》に見《み》せるとよい色《いろ》とは？

2008年12月24日 初版第1刷発行
2015年3月10日 初版第14刷発行

著　　者　ポーポー・ポロダクション
アシスタント　川島貴和
発 行 者　小川 淳
発 行 所　SBクリエイティブ株式会社
〒106-0032　東京都港区六本木2-4-5
編集：科学書籍編集部
03(5549)1138
営業：03(5549)1201
装丁・組版　クニメディア株式会社
印刷・製本　図書印刷株式会社

ISBN 4-7973-3919-5

SB Creative